A ma chère Laurence,
en souvenir de sa vieille amie
Sufia Regert-Morael
Genève . 19 . 9 . 62

MONSIEUR LE VENT
ET MADAME LA PLUIE

La Guilde des Jeunes, Lausanne

MONSIEUR LE VENT

ET MADAME LA PLUIE

Conte de Paul de Musset

Illustrations et maquette de couverture d'Aliki
© 1958 La Guilde du Livre, Lausanne
Imprimé en Suisse - Printed in Switzerland

PRÉFACE

Vous saurez, mes chers enfants, qu'il y avait autrefois en Ecosse un vieillard aveugle, à barbe blanche, nommé Ossian, qui jouait très bien de la harpe, et qui courait les rues en chantant des poèmes de son invention. Son père, Fingal, avait été un grand guerrier ; c'est pourquoi Ossian chantait, de préférence à autre chose, les exploits du grand Fingal, son père. Après la mort d'Ossian, des bardes continuèrent à chanter ses poèmes, et c'est ainsi que ses vers sont parvenus jusqu'à nous. Mais les bardes ajoutèrent aussi des vers de leur composition. Les uns chantaient l'histoire de Fingal d'une façon, les autres d'une autre façon, et il était impossible de reconnaître dans tout cela la véritable histoire du grand Fingal.

Un Anglais nommé Macpherson voulut démêler la vérité. Il partit pour l'Ecosse et rassembla les divers chants des bardes. Il les arrangea, les accorda entre eux, et en composa des poèmes que l'empereur Napoléon aimait beaucoup et lisait sans cesse. On a soupçonné Macpherson d'avoir imaginé une grande partie de ces poésies, et de les avoir mises sur le compte d'Ossian ; mais

5

c'est une chose qui n'est point prouvée. Qu'importe d'ailleurs de qui sont ces poésies, pourvu qu'elles soient belles et intéressantes !

Il en est de Monsieur le Vent et de Madame la Pluie comme du grand Fingal. Ma grand-mère racontait l'histoire de Madame la Pluie sans parler de Monsieur le Vent. Mon oncle savait l'histoire de Monsieur le Vent, et ne disait rien de Madame la Pluie. Ma nourrice, qui était de Bretagne, mêlait ensemble les deux histoires et n'en faisait qu'une seule, plus complète et plus merveilleuse. Il y a bien longtemps, je suis allé en Bretagne, et, pour suivre l'exemple de Macpherson, j'ai rassemblé tout ce qu'on y racontait de Monsieur le Vent et de Madame la Pluie, qui fréquentaient beaucoup ce pays-là. Comme vos mamans vous apprennent sans doute à détester le mensonge, je ne vous dirai pas que je n'ai rien ajouté aux récits décousus des paysans bretons, parce que ce serait mentir ; mais j'ai ajouté seulement ce qui était nécessaire pour lier les événements entre eux, et remplir les passages qui manquaient absolument. Puisse ce conte de nourrice, mes chers enfants, vous amuser encore plus que l'histoire du grand Fingal ne divertissait l'empereur Napoléon !

I

A peu près dans le temps que le bon roi Robert chantait au lutrin, vivait en Bretagne un pauvre meunier appelé Jean-Pierre, qui ne possédait pour tout bien que son moulin, une méchante cabane et un jardin potager, où il plantait des choux et des carottes. Jean-Pierre avait du malheur. Souvent il voyait d'autres moulins qui tournaient sur les collines du voisinage, tandis que le vent ne soufflait pas de son côté; la pluie tombait dans le fond de la vallée, tandis que les légumes de son jardin dépérissaient par la sécheresse, malgré la peine qu'il prenait de les arroser. Comme il n'avait pas beaucoup d'esprit, Jean-Pierre ne faisait que répéter:

« Hélas! Monsieur le Vent, ne voulez-vous donc pas souffler sur mon moulin? Et vous, Madame la Pluie, ne tomberez-vous pas dans mon jardin, afin que je puisse gagner ma vie? »

Mais ses lamentations ne servaient à rien; le Vent ne les écoutait point, et la Pluie ne s'en souciait guère.

Pour se désennuyer, le meunier épousa une jolie paysanne nommée Claudine, aussi pauvre que lui, mais active et bonne ménagère. Claudine nettoya la chaumière, raccommoda le linge, remit de l'ordre dans la maison, éleva des poules et porta les œufs au marché ; enfin son ménage commençait à prospérer un peu, lorsqu'elle devint mère d'un garçon, qui reçut le nom de Pierrot. Ce que Claudine avait amassé depuis son mariage suffisait à peine pour acheter un berceau, des langes et tout ce qui est nécessaire à une mère et à son enfant ; elle y dépensa jusqu'à son dernier écu. Pour comble de malheur elle tomba malade, et il fallut appeler le médecin du village. Jean-Pierre négligea son travail pour donner des soins à Claudine, car il n'avait pas de quoi payer une garde, et ces pauvres gens se trouvèrent tout à coup dans une misère affreuse.

Un soir qu'il veillait près de sa femme et de son enfant, qui dormaient tous deux, Jean-Pierre se mit à réfléchir sur sa triste position :

« Si tous mes maux, pensa-t-il, n'accablaient que moi seul, je ne me plaindrais pas ; je suis assez robuste pour endurer le froid et la faim ; mais ma femme aurait besoin de feu, de bons aliments, de médicaments pour se guérir, et je n'ai pas de bois à mettre dans la cheminée, ni de viande pour faire du bouillon, ni de l'argent, nécessaire pour aller chez le pharmacien. J'aime mieux ma Claudine et son enfant que tous les trésors de la terre, ainsi je ne regrette point d'avoir épousé une fille aussi pauvre que moi; mais, au moins, si le vent voulait donc souffler sur mon moulin, je me tirerais d'embarras. »

Comme il disait ces mots, Jean-Pierre vit la flamme de la chandelle qui vacillait, et il entendit la girouette rouillée qui tournait sur le toit de la chaumière. Le vent commençait à souffler. Le meunier courut bien vite à son moulin; il donna du grain à la meule pour toute la nuit; il délia le frein qui retenait les ailes, et aussitôt le moulin tourna et se mit à moudre le blé et à le changer en son et en farine. Jean-Pierre revint ensuite auprès de sa femme qui continuait à dormir, et il se frotta les mains en songeant à l'heureuse nouvelle qu'il aurait à lui apprendre à son réveil.

Cependant la girouette rouillée gémissait avec plus de force; la chandelle faillit s'éteindre, et il fallut la mettre derrière un rideau, car il y avait tant de trous et de crevasses à la chaumière que des courants d'air y entraient de tous côtés. La fenêtre était ébranlée, la porte remuait sur ses gonds, et la cendre de la cheminée volait à travers la chambre. Au milieu du tapage de la tempête, Jean-Pierre crut entendre les voix des esprits du Vent chuchoter des paroles à ses oreilles:

« Sifflons, disaient ces esprits, sifflons par ce carreau cassé. Tâchons d'arracher le papier qui le bouche. — Gémissons, gémissons par ce trou. Accrochons-nous au chaume de cette masure. — Poussons, poussons cette porte mal attachée. — Bourdonnons, bourdonnons dans cette cheminée. »

Malgré l'étonnement que lui causaient ces voix mystérieuses, le meunier ne s'effraya point, et il leur répondait:

« Sifflez, gémissez, bourdonnez tant qu'il vous plaira, pourvu que mon moulin tourne! »

Au même instant, le loquet, qui ne tenait à rien, sauta, la porte s'ouvrit toute grande, et Jean-Pierre vit entrer une figure extraordinaire. C'était un personnage qui ressemblait plus à un génie qu'à un homme. Son corps pouvait se ployer dans tous les sens, tant il avait de souplesse et d'élasticité. Ses yeux brillaient comme du phosphore. Tantôt ses joues paraissaient maigres et plissées, tantôt elles s'enflaient comme des ballons. Sa large poitrine faisait le bruit d'un soufflet de forge. Les deux grandes ailes qu'il avait aux épaules n'auraient pas pu se déployer dans la chambre. Un manteau rouge d'une étoffe légère flottait autour de lui, en faisant tant de plis qu'on ne distinguait pas précisément les formes de son corps. Ses pieds rasaient la terre sans qu'il se donnât la peine de marcher; cependant, comme il venait de fort loin, il paraissait un peu fatigué:

« Donne-moi une chaise, dit-il à Jean-Pierre, que je me repose un moment chez toi, avant de poursuivre ma route. »

Le meunier offrit avec empressement sa meilleure chaise de paille.

« Asseyez-vous, Monseigneur, dit-il, et reposez-vous chez moi aussi longtemps que vous voudrez. Ayez seulement la bonté de parler plus bas pour ne point réveiller ma femme qui est malade, et mon enfant nouveau-né.

— Ne crains rien, répondit l'étranger, le murmure de mes paroles les endormira, au contraire, plus profondément. Je suis Monsieur le Vent, à qui tu as plusieurs fois adressé des prières. Tu ne t'étonneras pas de me voir un peu essoufflé quand tu sauras qu'en moins d'une heure je viens de visiter les côtes de la Bretagne entière, et de parcourir un grand espace sur l'Océan. Ton seigneur, dont le château est voisin, n'a pas voulu me recevoir. Ses gens ont fermé les portes avec de gros verrous, les fenêtres avec des volets solides, recouverts de tentures épaisses; c'est à peine si j'ai pu pénétrer dans ses escaliers par la lucarne d'une tour, et dans ses cuisines par un petit soupirail. Je me suis vengé sur les sentinelles qui montent la garde dans les cours du château, en renversant leurs guérites. Chez toi, au contraire, je trouve les murs percés à jour, le toit ouvert, les vitres brisées, le loquet mal attaché. Je n'ai eu qu'à pousser la porte pour entrer dans ta chaumière. Voilà une maison comme je les aime. Tu ne possèdes qu'une mauvaise chaise de paille, et tu me l'as présentée de bonne grâce; je te sais gré de cet accueil hospitalier. Demande-moi quelque service, Jean-Pierre, et je te le rendrai volontiers.

— Monsieur le Vent, dit le meunier, tout ce que je vous demande, c'est de souffler trois ou quatre heures par jour sur mon moulin.

— Mon pauvre Jean-Pierre, répondit Monsieur le Vent, il ne m'est pas permis de sortir tous les jours. Madame la Pluie occupe le ciel pendant le tiers de l'année, et me chasse, comme une ingrate, aussitôt que j'ai amené ses nuages. Le soleil s'arrange encore plus mal avec moi. Je vis enfermé dans ma caverne pendant des mois entiers; mais j'aurai soin de t'envoyer les zéphirs et les petits esprits qui vont, par mon ordre, examiner le pays matin et soir, et je leur commanderai de ne pas oublier ton moulin. Quand tu seras embarrassé, malheureux ou persécuté, viens me trouver dans ma caverne, et je te donnerai du secours. Je demeure là-haut, tout au faîte de la montagne du Midi.

— Eh! Monsieur le Vent, s'écria Jean-Pierre, je suis malheureux et embarrassé à présent même. Venez tout de suite à mon secours.

— Il est trop tard pour aujourd'hui, répondit Monsieur le Vent. Il faut que je parte à l'instant pour Paris, où j'ai une douzaine de cheminées à mettre par terre; et dans une demi-heure je dois être rentré chez moi, car voici Madame la Pluie qui me marche sur les talons. Adieu, Jean-Pierre. »

En parlant ainsi, Monsieur le Vent s'élança d'un bond par la porte, déploya ses grandes ailes, et disparut.

Au bout d'une demi-heure, les sifflements, gémissements et bourdonnements diminuèrent et finirent par se taire tout à fait. Le meunier reconnut que le Vent était revenu de son voyage et rentré dans sa caverne sur la montagne du Midi; mais les petits esprits qu'il avait laissés derrière lui suffirent à faire tourner le moulin.

II

Aussitôt après le départ de Monsieur le Vent, la pluie se mit à tomber, doucement d'abord, et puis ensuite à torrents. Les ruisseaux s'enflèrent, et quand la terre desséchée eut bien bu, il se forma de petites mares d'eau dans lesquelles les gouttes de pluie sonnaient comme des clochettes. Jean-Pierre crut encore entendre les voix des esprits de la Pluie:

« Tombons, disaient ces voix, tombons sur ce toit de chaume. — Mouillons, mouillons toute la maison. — Arrosons ces feuilles de choux. — Coulons sur ces cailloux. — Sonnons dans la gouttière. — Glissons sur cette poutre. — Sautons par ce trou. — Tombons, mouillons tout ce que nous pourrons, petites gouttes, gouttes, gouttes! »

Au lieu d'avoir peur, Jean-Pierre répétait:

« Tombez, mouillez, arrosez tant que vous pourrez; demain mon jardin sera plus vert, et mes légumes se porteront mieux! »

Comme Monsieur le Vent avait brisé le loquet, et qu'il était sorti sans fermer la porte, le battant s'entrouvrit de trois ou quatre pouces. Par cet espace étroit, Jean-Pierre vit entrer une grande dame de figure sin-

Le battant s'entrouvrit de trois ou quatre pouces.

gulière, qui ressemblait plutôt à une fée qu'à une femme. Son corps était un peu vaporeux, et son visage défait, comme si elle relevait de maladie. Ses cheveux ne frisaient point du tout et lui tombaient jusqu'aux talons. Ses yeux étaient voilés par deux ruisseaux de larmes, et son nez un peu enflé par le rhume de cerveau. Sa robe était entièrement grise et son manteau de même. Sur son écharpe de soie brillaient les sept couleurs de l'arc-en-ciel. Cette dame s'avançait lentement sans qu'on vît remuer ses pieds; elle bâillait en étendant ses bras, et paraissait accablée, plutôt d'ennui que de lassitude.

« Donne-moi une chaise, dit-elle à Jean-Pierre, afin que je me repose un instant, avant que je descende dans la vallée.

— Asseyez-vous, Madame, dit le meunier. Veuillez seulement parler bas, car ma femme est malade et mon enfant dort.

— Ne crains rien, répondit la dame; le bruit de mes paroles les endormira d'un sommeil meilleur. Je suis Madame la Pluie à qui tu as souvent adressé des invocations. Il y a cinq minutes, j'étais encore à huit cents toises au-dessus de la terre: c'est pourquoi je suis un peu étourdie de ma chute. Le seigneur du château voisin m'a fermé au nez ses portes et ses fenêtres; mais je m'en suis vengée en mouillant jusqu'aux os ses sentinelles. Chez toi je trouve des crevasses aux murailles, des vitres brisées et la porte ouverte; aussi j'aime ta chaumière, et je me souviendrai de ton bon accueil. Si je puis te servir à quelque chose, profite de l'occasion; demande-moi ce que tu voudras et je te le donnerai.

— Madame la Pluie, répondit le meunier, que pourrais-je vous demander, sinon de vouloir bien tomber deux ou trois fois par semaine sur les légumes de mon potager?

— Hélas! mon ami, dit la dame, je ne cours pas le monde comme je le voudrais. Le beau temps du déluge est passé. Monsieur le Soleil est plus fort que moi et me repousse dans ma grotte à chaque instant. Quant à Madame la Lune, depuis Adam je cherche à deviner si elle m'est favorable ou contraire, et je n'ai pas encore pu éclaircir la chose; mais, avec l'aide des astronomes, j'espère bien savoir au juste, d'ici à trois ou quatre mille ans, quelles sont ses intentions à mon égard. On me fait partout mauvaise mine, excepté chez toi. Je suis enfermée pendant les deux tiers de l'année, mais je t'enverrai mes rosées du matin et les petits nuages auxquels je donne la clef des champs entre deux rayons de soleil. Si ta femme ou ton enfant éprouvent quelque malheur, ne manque pas de m'en informer: je les prendrai sous ma protection.

— Ah! Madame la Pluie, s'écria Jean-Pierre, protégez-les tout de suite: ma femme est malade, et si elle vient à perdre son lait, mon petit Pierrot en mourra.

— Il fallait commencer par me dire cela. Tu es un maladroit, Jean-Pierre. Je suis obligée de partir bien vite pour aller mouiller les plaines de la Normandie et de la Beauce. Le soleil va bientôt venir sécher tout mon ouvrage. Adieu, honnête Jean-Pierre. Je demeure dans ma grotte de l'Ouest, sur le rivage de la mer. »

Madame la Pluie glissa par la porte entrouverte, et s'abattit dans le fond du vallon. Au bout d'une heure, les joues de l'Aurore commençaient à rougir. Les esprits de la Pluie parlaient plus bas. Les ruisseaux n'étaient plus que des filets d'eau qui ne disaient rien; le son des petites clochettes s'éteignit peu à peu. Un grand rayon de soleil dissipa bientôt les nuages, et le meunier comprit que Madame la Pluie s'était retirée dans sa grotte de l'Ouest, au bord de la mer!

Jean-Pierre sortit alors de sa cabane, et s'en alla au moulin. Il y trouva de quoi emplir deux sacs de farine. Il courut ensuite au jardin, et il y cueillit des laitues et des choux qui avaient poussé. Il porta la farine chez un fermier, qui lui donna deux écus de six livres, et il vendit les légumes au marché. Sa femme dormait encore lorsqu'il rentra chez lui, avec un fagot de bois sur ses épaules, de l'argent dans sa poche, et de bonnes provisions dans son panier.

III

La femme de Jean-Pierre, ayant dormi jusqu'au matin, n'avait entendu ni le vent ni la pluie. Elle fut fort étonnée d'apprendre que le moulin avait tourné pendant la nuit, et de voir l'argent et les provisions rapportées par son mari. Son sommeil avait déjà hâté sa guérison. La joie qu'elle eut de ces heureuses nouvelles acheva de lui rendre la santé. Cependant Jean-

Pierre ne lui parla point des deux visites extraordinaires qu'il avait reçues.

« Claudine, pensait-il, a plus d'esprit que moi; mais elle est un peu bavarde. Elle irait dire mon secret à ses commères, et cela pourrait me faire du tort. »

Pendant les jours suivants, le moulin tourna soir et matin; la rosée tomba dans le jardin potager. Jean-Pierre faisait bon feu et bonne chère. La femme reprit des forces, et le petit Pierrot devint rose et frais comme une pomme d'api. Le bonheur et la gaieté étaient revenus dans la maison.

Un jour, le seigneur du château voisin passa devant la cabane de Jean-Pierre, en allant à la chasse. Les seigneurs de ce temps-là jouissaient d'un grand pouvoir. Lorsqu'ils étaient bons, ils rendaient leurs vassaux heureux; mais lorsqu'ils étaient méchants, ils exerçaient toutes sortes de tyrannies et de cruautés sur les pauvres paysans. Or, celui de qui Jean-Pierre était vassal avait

Le seigneur du château voisin passa devant la cabane de Jean-Pierre, en allant à la chasse.

18

le cœur dur; il aimait beaucoup l'argent, et pour s'en procurer il accablait ses gens d'impositions. Il les faisait payer pour la taille, pour la dîme, pour la ceinture de la reine, et pour cent autres inventions vexatoires. En voyant son seigneur, le meunier fut saisi de crainte, car cette visite ne lui annonçait rien de bon.

« Holà! Jean-Pierre, cria le baron sans descendre de son cheval, tu me dois six mois d'impositions: c'est dix écus, que j'enverrai chercher demain par mon intendant.

— Monsieur le baron, répondit le meunier, accordez-moi encore trois mois de délai. Ma femme a été malade, et si je vous donne dix écus, c'est tout ce que je possède, il ne me restera plus rien.

— Je ne t'accorderai pas seulement trois jours, reprit le baron. Si tu ne payes pas demain, on vendra tes meubles; je t'arracherai de ta cabane, et je te ferai travailler dans mes champs, à coups de bâton. »

Le seigneur partit au galop, sans écouter les plaintes de son vassal. Le lendemain, l'intendant du château arriva, portant une sacoche, et Jean-Pierre fut obligé de lui donner les dix écus; c'était tout ce que le meunier avait économisé depuis un mois. Les faveurs du vent et de la pluie se trouvaient ainsi perdues. Claudine se mit à pleurer de tout son cœur.

« Ne pleure pas, lui dit Jean-Pierre. Tout le monde n'est pas aussi méchant que Monsieur le baron. Donne-moi mes souliers ferrés, ma canne et mon manteau de laine ; j'ai une visite à faire. Ne t'inquiète pas si je rentre tard à la maison ; ce sera pour te rapporter quelque bonne nouvelle. »

Claudine devina tout de suite que son mari lui cachait un secret. Elle essuya ses larmes et fit mille questions au meunier pour lui arracher ce secret ; mais il ne voulut point parler, et il partit avec ses souliers ferrés, sa canne et son manteau de laine. Après avoir traversé des champs et des prés, Jean-Pierre arriva au bas de la montagne du Midi. Il monta pendant trois heures dans un bois de sapins ; puis il trouva des bruyères désertes, et enfin des rochers escarpés, où il grimpa à l'aide de ses souliers ferrés et de sa canne. Il parvint au faîte de la montagne avant le coucher du soleil. En voyant l'entrée d'une caverne, le meunier pensa que ce devait être l'habitation de Monsieur le Vent. Comme la caverne paraissait profonde et obscure, Jean-Pierre ne se sentait pas trop rassuré. Il rassembla tout son courage, et il entra en tâtant le terrain avec sa canne par précaution. A peine eut-il fait vingt-cinq pas, qu'il entendit à ses oreilles les voix des petits esprits.

« Soufflons sur cet étranger, disaient les voix. Arrachons-lui son manteau ! Tâchons de lui enlever son chapeau ! »

Mais Jean-Pierre tenait fortement son chapeau d'une main, et de l'autre son manteau de laine. Il aperçut enfin de la lumière, et il reconnut Monsieur le Vent, assis devant une table et mangeant son dîner. Des feux follets voltigeaient pour éclairer la table; d'autres esprits apportaient les plats et les flacons de vin du fond de deux grands trous qui servaient de cuisine et de cave.

« Qui vient là ? demanda Monsieur le Vent.

— C'est moi, répondit le meunier; je suis Jean-Pierre. Votre Excellence a daigné se reposer chez moi il y a un mois.

— Eh bien! que me veux-tu ?

— Je ne sais, Monseigneur, répondit le meunier en balbutiant.

— Imbécile, s'écria Monsieur le Vent. Tu viens me déranger quand je suis à table, et tu ne sais pas seulement ce que tu as à me demander! Je vois bien que j'ai accordé ma protection à un nigaud.

— Excusez-moi, reprit Jean-Pierre; le respect me coupe la parole. Depuis que vous avez favorisé mon moulin, j'avais gagné dix écus; Monsieur le baron me les a enlevés ce matin, sous le prétexte d'un impôt. Je supplie Votre Excellence de me secourir; je m'en rapporte à sa générosité.

— Je n'ai pas le temps de m'occuper de tes affaires, ni de te donner des conseils, dit le Vent d'un ton bourru. Tâche de savoir ce que tu désires, et dis-le-moi en peu de mots.

— Ce que je désire ! répéta le meunier : ce qu'il vous plaira de me donner, pourvu que cela m'empêche de mourir de faim, car j'en suis menacé.

— Tu ne mourras pas de faim, reprit Monsieur le Vent avec plus de douceur. Qu'on donne à cet animal mon petit tonneau d'argent ! »

Un esprit, qui avait des ailes de chauve-souris, apporta aussitôt un joli tonneau d'argent, pas plus grand que les petits barils où l'on enferme les olives. Un autre esprit apporta une baguette aussi d'argent, qu'il posa sur la table.

« Prends ce tonneau et cette baguette, dit Monsieur le Vent. Quand tu seras chez toi, tu frapperas avec la baguette sur le petit baril, et tu verras... ce que tu verras. Maintenant va-t'en au diable, et laisse-moi dîner en paix ! »

IV

La nuit était tombée lorsque Jean-Pierre sortit de la caverne de Monsieur le Vent. Il faillit se rompre le cou parmi les rochers ; il déchira son manteau de laine après les buissons, et se mouilla les pieds dans un marais, en dépit de ses souliers ferrés ; mais il ne lâcha point son baril ni sa baguette. Sa femme commençait à s'inquiéter, lorsque, à neuf heures du soir, le meunier rentra au logis.

« Qu'est ceci ? demanda Claudine en voyant le petit tonneau. Où as-tu pris ce bijou magnifique ? Je savais bien que tu me cachais un secret d'importance. Il faut que tu m'expliques ce mystère tout à l'heure. Est-ce qu'il y a des pierres précieuses dans ce tonneau ? Quand il n'y aurait rien dedans, l'argent seul vaudrait au moins cent louis, sans compter la façon. Un orfèvre en donnerait une grosse somme. Parle donc, Jean-Pierre ; je grille de savoir le secret. »

Le meunier raconta comment il avait reçu la visite de Monsieur le Vent, comment ce personnage surnaturel lui avait promis sa protection, et lui avait donné le tonneau et la baguette, en lui indiquant la manière de s'en servir. Jean-Pierre recommanda bien fort à sa femme de ne point parler de cette aventure aux commères du voisinage ; mais, au lieu d'écouter ses recommandations, Claudine se remit à babiller.

« Tu vois, lui dit-elle, que tu as eu tort de me cacher ce secret. Je suis plus fine que toi ; je t'aurais donné de bons conseils, et tu ne serais pas resté les bras pendants, avec un air hébété, comme tu l'as fait quand Monsieur le Vent t'a demandé ce que tu voulais. Je t'aurais dit de lui répondre sans hésiter : « Donnez-moi dix mille » livres. » Et tu serais revenu avec des écus sonnants, au lieu de ce tonneau d'argent dont nous serons embarrassés de nous défaire.

— Qui sait ? répondit le meunier ; mon tonneau vaut peut-être plus que tu ne crois. Mettons-le d'abord à l'épreuve. »

Jean-Pierre posa le petit tonneau debout sur la table, et, d'une main tremblante, il frappa dessus avec la baguette d'argent. Aussitôt le baril s'ouvrit en deux parties comme une armoire. D'un côté il y avait une petite cuisine, et de l'autre un office en miniature. Dans la cuisine on voyait des broches grosses comme des aiguilles, des chaudrons grands comme des dés à coudre, des casseroles mignonnes et des poêles à frire à mourir de rire. Un cuisinier haut de trois pouces, le bonnet de coton sur l'oreille, et deux petits marmitons s'agitaient devant les fourneaux, soufflaient le feu, surveillaient la broche et goûtaient les sauces. Ils faisaient rôtir des dindons gros comme des abeilles, et des poulets gros comme des mouches ; ils faisaient frire des poissons plus minces que des vers à soie qui viennent de naître, et taillaient des choux pommés qui ressemblaient à des têtes d'épingle. Pendant ce temps-là, deux domestiques, de la même taille que le cuisinier, rangeaient la vaisselle dans l'office. Ils essuyaient des assiettes de porcelaine qui étaient grandes comme des pièces de cinq sous, et des verres qui semblaient faits pour donner à boire à des moineaux. Ils emplissaient les bouteilles avec deux gouttes de vin, et les carafes de cristal contenaient deux gouttes d'eau. En un tournemain, le dîner se trouva prêt.

24

Ils virent les deux domestiques nains sortir du petit tonneau.

Le meunier et sa femme restaient tout ébahis à regarder ce petit monde si prompt et si habile. Leur surprise fut bien plus grande quand ils virent les deux domestiques nains sortir du petit tonneau, sauter sur la table et y déposer tous les plats fumants, préparer deux couverts, ranger avec ordre le premier service, mettre à leur place les bouteilles et les carafes. Dans un coin de la chambre, ils placèrent le second service et le dessert, et puis ils rentrèrent dans leur petit office. Le tonneau d'argent se referma subitement, et Jean-Pierre et

Claudine ne virent plus rien; mais, au même instant, les plats qui étaient sur la table devinrent de véritables plats de la grosseur ordinaire: les poulets rôtis furent de véritables poulets rôtis, les poissons de bons gros poissons, les bouteilles de grandes bouteilles remplies de vin délicat, les couverts de bons gros couverts en bon argent. Jean-Pierre et sa femme se trouvèrent tout à coup en face d'un excellent souper servi pour deux personnes, et où il y avait à manger pour quatre. Ils se mirent à table, et soupèrent copieusement, car ils avaient faim. Les ragoûts étaient parfaits et les pièces de volaille cuites à point. Jean-Pierre but trois fois à la santé de Monsieur le Vent, et comme le vin était capiteux, le meunier se coucha, la tête un peu troublée; il s'endormit, et ronfla comme un chantre.

Claudine se coucha aussi; mais elle ne fit que s'agiter dans le lit sans pouvoir dormir, tant elle avait hâte de voir le jour, pour aller conter cette aventure à sa voisine la laitière. La voisine ouvrit de grands yeux en écoutant cette histoire. Elle répéta plusieurs fois, en soupirant, que Claudine était bien heureuse d'être l'amie de Monsieur le Vent, et de posséder le précieux baril d'argent.

Aussitôt la meunière partie, la laitière mit son panier sur sa tête, et s'en alla porter de la crème et du beurre au château. Elle ne manqua pas de raconter l'aventure de sa voisine au cuisinier. Le cuisinier raconta la nou-

Le cuisinier raconta la nouvelle au valet de chambre.

velle au valet de chambre, et le valet de chambre, tout
en aidant son maître à s'habiller, lui apprit ce qui était
arrivé à Jean-Pierre. Le baron conçut tout de suite le

27

projet de s'emparer du petit tonneau d'argent; c'est pourquoi il monta sur son cheval et s'en alla au moulin.

Lorsque Monsieur le baron arriva au moulin, Jean-Pierre venait de se lever, et Claudine n'était pas encore revenue, car, en sortant de chez la laitière, elle avait couru raconter son aventure à sa voisine la blanchisseuse, à sa commère la bûcheronne, et à sa cousine la gardeuse de vaches.

« Jean-Pierre, dit le baron, Monsieur le Vent, qui est de mes amis, m'a dit ce matin qu'il t'avait donné un petit tonneau d'argent dans lequel il y a une cuisine magique. Qu'as-tu besoin de manger des dindons rôtis dans une cabane délabrée, avec des habits percés et des meubles vermoulus? Il vaudrait mieux faire raccommoder ta masure par le maçon et le charpentier, acheter des habits bien chauds, des robes pour ta femme, et des armoires, du linge, des fauteuils pour meubler ta chaumière. Vends-moi ta petite cuisine. Je te donnerai dix mille livres, avec lesquelles tu pourras bâtir une autre maison, acquérir des champs, des bestiaux et des chevaux, et tu deviendras un riche propriétaire.

— Monsieur le baron, répondit le meunier, quand j'aurai dépensé mes dix mille livres, il ne me restera plus rien, tandis qu'avec mon petit tonneau, j'ai ma nourriture assurée pour toute la vie.

— Comment! reprit le seigneur, n'est-ce rien que de posséder une bonne maison et de cultiver des champs?

— C'est la vérité, dit Jean-Pierre; des terres d'un bon produit valent mieux que des poulets rôtis. D'ailleurs, ma femme m'a grondé de n'avoir pas demandé à Monsieur le Vent dix mille livres, et puisque vous m'offrez cette somme, j'accepte le marché.

— A la bonne heure, dit le baron; ta femme est une personne d'esprit. Voici mille francs que j'ai apportés avec moi; je te payerai le reste dans quinze jours, et je vais t'en faire une promesse par écrit. Donne-moi ton baril d'argent. »

Le meunier donna le baril, prit le sac de mille francs, et, comme il ne savait pas lire, il accepta la promesse écrite de son seigneur, sans en connaître le contenu. Le baron une fois parti avec le petit tonneau d'argent, Claudine ne tarda pas à rentrer. Jean-Pierre lui raconta le beau marché qu'il venait de faire. Aussitôt elle poussa des cris lamentables et s'arracha les cheveux.

« Ah! sainte Vierge, disait-elle, faut-il que j'aie pour mari un homme qui se laisse tromper comme un sot! Malheureuse que je suis d'avoir épousé ce maladroit! »

Jean-Pierre se mit dans une colère épouvantable.

« Femme capricieuse, dit-il, ne m'as-tu pas reproché toi-même de n'avoir pas demandé dix mille livres à Monsieur le Vent, au lieu de ce petit tonneau?

— Vilain niais, répondit la femme, quand j'ai dit cela, je ne savais pas encore ce que valait ce tonneau merveilleux. Ne vois-tu pas que les petits nains nous ont

laissé de la vaisselle et des couverts? Tous les jours
ils nous auraient donné de bonnes cuillers d'argent que
nous aurions vendues à l'orfèvre. Pourquoi désire-t-on
avoir des terres, une maison et des bestiaux? N'est-ce
pas pour manger des poulets rôtis? Puisque nous les
avions, ces poulets rôtis, à quoi bon courir après des
champs et des bestiaux? Les champs seront peut-être
détruits par la grêle, et les bestiaux mourront de maladie;
tandis qu'avec le petit tonneau nous étions certains de
ne manquer de rien. Monsieur le baron s'est moqué
de toi. Il ne connaît pas Monsieur le Vent; il t'a trompé
en disant qu'il était de ses amis, et peut-être ne payera-
t-il pas, dans quinze jours, les neuf mille francs qu'il
t'a promis. »

Jean-Pierre commençait à comprendre sa sottise.
Au lieu d'en convenir, il se mit encore plus en colère.

« C'est donc par tes bavardages, dit-il, que Monsieur le baron a appris mon secret. Tu es sortie ce matin
pour aller répandre la nouvelle dans tout le pays! »

Au lieu d'avouer sa faute, Claudine redoubla ses
plaintes. Elle appela son mari imbécile; Jean-Pierre
appela sa femme carogne, et ils se querellèrent tant
qu'ils purent, comme font les meuniers et les meunières;
après quoi ils se réconcilièrent, parce qu'au fond le
meunier était un bon mari, et la meunière une bonne
femme.

V

Ce que Claudine avait prévu arriva. Le baron, étant maître du petit tonneau magique, ne s'inquiéta plus de ses promesses. Quand le meunier vint au château présenter son billet, on le mit à la porte, en lui disant qu'il était un insolent d'oser demander de l'argent à son seigneur. Jean-Pierre ne reçut donc que mille francs au lieu des dix mille qu'on lui avait promis. Ses regrets et son chagrin redoublèrent lorsqu'il apprit que le baril merveilleux servait tous les jours, dans la salle à manger du château, des dîners splendides pour autant de personnes qu'il plaisait au baron d'en inviter. Le seigneur n'avait plus besoin de cuisinier, et il renvoya ses marmitons. Les petits nains renouvelaient chaque fois le linge de la table, les assiettes, les plats et l'argenterie. Quoique très avare, Monsieur le baron régalait souvent ses amis afin d'avoir, après le dîner, des restes si précieux, et bientôt il amassa tant de cuillers et de fourchettes qu'il n'en savait plus que faire. Jean-Pierre jurait ses grands dieux de ne jamais se laisser tromper par les offres de son seigneur, et Claudine se promettait de ne plus confier de secret à ses commères. Malheureusement ces sages résolutions ne réparaient point les sottises passées.

Avec les mille francs qu'ils avaient reçus, le meunier et sa femme firent un peu raccommoder leur chaumière par le maçon et le charpentier. Ils achetèrent quelques ustensiles de ménage, et puis ils vécurent sur le reste pendant une année à force d'économie. Au bout de l'an, tout l'argent était dépensé. Jean-Pierre n'avait plus de courage au travail; Claudine, inconsolable, négligeait son aiguille et sa basse-cour. Le souvenir du bonheur que ces pauvres gens avaient perdu empoisonnait leur vie, et ils se trouvaient plus misérables et plus accablés que jamais.

Jean-Pierre se décida enfin à faire une seconde visite à Monsieur le Vent. Ne voulant mériter aucun reproche, il consulta sa femme.

« Cette fois, lui dit Claudine, il faut arriver dans la caverne avant l'heure du dîner de Monsieur le Vent. Ne t'avise pas de lui raconter tes sottises; dis-lui que ton seigneur t'a enlevé par force le petit tonneau d'argent. S'il te demande ce que tu désires, réponds tout de suite que tu voudrais un autre petit tonneau, ou quelque chose d'aussi merveilleux. »

Le meunier, ayant sa leçon préparée, se mit en route dès le point du jour avec ses souliers ferrés, sa canne et son manteau de laine. Comme il savait le chemin, il ne perdit pas de temps et il arriva devant la caverne à dix heures du matin. Cependant le ciel s'était chargé de gros nuages rouges à l'horizon. Un orage se préparait. Les esprits de la caverne parlaient tous à la fois. Monsieur le Vent demandait ses habits de voyage et se préparait à sortir. Lorsqu'il aperçut le meunier, il lui cria d'une voix de stentor :

« Maître Jean-Pierre, tu as le talent d'arriver toujours mal à propos. Il faut que je sois dans un quart d'heure au milieu de l'Océan. J'ai deux vaisseaux à faire naufrager ; va-t'en bien vite, ou sinon je te précipite du haut de la montagne dans la plaine.

— Monseigneur, répondit Jean-Pierre, au lieu de tourmenter ces pauvres vaisseaux qui ne vous ont rien fait, écoutez-moi ; je suis malheureux et persécuté. Monsieur le baron est venu chez moi avec ses hommes de guerre, et il m'a pris de force mon petit tonneau d'argent.

— Cela ne se peut pas, s'écria Monsieur le Vent. Si on avait voulu te prendre le petit baril d'argent par la violence, il se serait enflé si gros, qu'on n'aurait pu le faire sortir ni par la porte, ni par la fenêtre. Tu l'as donc vendu ou donné volontairement. Tu es un menteur et un fourbe. Je ne sais à quoi tient que je ne te casse la tête. »

Jean-Pierre se jeta par terre à deux genoux :

« Pardonnez-moi, Monseigneur, dit-il en pleurant. Si j'ai menti, c'est ma femme qui me l'a conseillé. Je suis au désespoir d'avoir mérité votre colère.

— Eh bien ! que me veux-tu ?

— Je voudrais un autre petit tonneau merveilleux.

— Qu'on lui donne donc mon petit tonneau d'or ; mais ce sera mon dernier présent. Que ce drôle ne revienne jamais dans ma caverne. S'il y remet les pieds, qu'on lui torde le cou à l'instant ! »

Les esprits apportèrent un joli petit tonneau d'or et une baguette. Jean-Pierre mit le tout sous son bras, et se sauva en courant. A peine fut-il hors de la caverne, que l'orage éclata. Il entendit Monsieur le Vent passer au-dessus de sa tête en volant d'une vitesse effroyable. Les esprits de la tempête accompagnèrent le meunier jusque chez lui avec des éclats de rire.

« Qu'il est heureux, disaient-ils, qu'il est heureux de posséder le petit tonneau d'or !

— Oui, je suis heureux, répétait Jean-Pierre. Riez tant que vous voudrez ; je me moque de vous. »

Claudine attendait son mari avec une impatience extrême. Lorsqu'elle le vit revenir, portant le petit tonneau d'or, elle battit des mains et sauta de joie.

« Nous voilà riches pour toute notre vie, disait-elle. Ce ne sont plus des couverts d'argent que nous allons posséder, mais des cuillers et des fourchettes d'or. Nous les vendrons, et, avec leur prix, nous pourrons acheter des domaines, des maisons et des châteaux. Quand même Monsieur le baron nous offrirait cent mille écus, nous ne lui donnerions pas le tonneau d'or. Dépêche-toi, Jean-Pierre, dépêche-toi de frapper avec la baguette, car je n'ai point préparé le dîner, tant j'avais de confiance dans la bonté de Monsieur le Vent. »

Jean-Pierre posa le petit baril par terre, et frappa un grand coup avec la baguette d'or. La bonde du tonneau s'ouvrit, et il en sortit une fumée noire qui monta jusqu'au plafond de la chambre. Cette fumée prit une forme humaine. Jean-Pierre et sa femme distinguèrent une tête et un corps; mais une tête grosse comme une citrouille, avec des traits affreux, et un corps gros comme le tronc d'un chêne. Le meunier se trouvait en face d'un géant d'une force extraordinaire et armé d'un bâton. Aussitôt que le géant put se tenir sur ses pieds, il courut à Jean-Pierre, le saisit d'une main par le collet de sa veste, et de l'autre il lui appliqua sur les reins vingt-cinq coups de bâton si terribles, que le pauvre homme en poussa des cris pitoyables. Cela fait, le géant s'évanouit en fumée et rentra dans le petit tonneau comme il en était sorti.

VI

Le meunier et sa femme ne pouvaient se consoler. Jean-Pierre resta pendant une heure étendu sur son lit à gémir; Claudine pleurait amèrement, et le petit Pierrot criait de toutes ses forces. La meunière mettait déjà son bonnet pour aller raconter cette aventure malheureuse à sa voisine la laitière, lorsque Monsieur le baron vint à passer en revenant de la chasse, avec ses

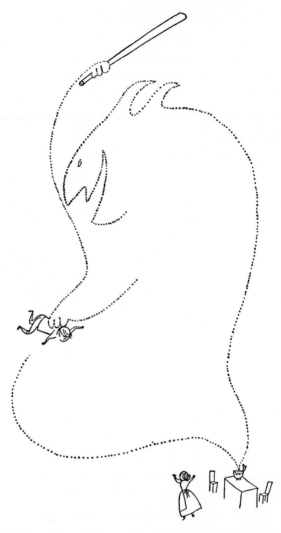

Il lui appliqua sur les reins vingt-cinq coups de bâton.

valets et ses piqueurs. Le seigneur entra dans la chaumière pour se rafraîchir.

« Que vois-je donc là ? dit-il ; est-ce que ce petit baril d'or serait un nouveau cadeau de Monsieur le Vent ?

— Précisément, Monseigneur, répondit Jean-Pierre. J'arrive à l'instant avec mon tonneau merveilleux, et je ne sais pas encore ce qu'il contient.

— Il faut me vendre cela, mon ami, dit le baron.

— Nenni, nenni, Monseigneur, répondit le meunier d'un air rusé. C'est assez de vous avoir vendu mon baril d'argent. Je ne recommencerai pas à faire la même faute.

— Cependant, si je t'offrais une somme plus forte que l'autre fois, douze mille livres, par exemple ?

— Je ne vous le donnerai pas pour quinze mille livres.

— Eh bien ! je t'en propose dix-huit mille.

— C'est vingt mille que j'en veux avoir.

— La somme est énorme, mais j'ai de l'amitié pour toi et je ferai ce sacrifice. Tu auras mille écus comptant, et pour le reste je te remettrai une promesse par écrit.

— Nenni, Monseigneur. Je sais trop bien ce qui arrive à vos promesses signées. Vous me donnerez vingt mille livres comptant, en bons écus, ou vous n'aurez point le petit tonneau d'or, car je fais peut-être encore un mauvais marché. »

Le baron avait tant peur de manquer l'occasion qu'il envoya un exprès au château demander vingt mille livres à son intendant. Au bout d'un quart d'heure, on apporta vingt sacs tout pleins d'écus. Jean-Pierre vérifia la somme, rangea les sacs dans son armoire, et mit la clef dans sa poche; puis il donna le petit baril d'or et le seigneur partit, enchanté de son acquisition.

A son retour au château, Monsieur le baron s'enferma dans sa chambre pour essayer son petit tonneau merveilleux. Il frappa dessus avec la baguette, et aussitôt la fumée sortit en prenant la forme d'un géant, et le géant donna vingt-cinq coups de bâton au seigneur. Les gens de Monsieur le baron l'entendirent pousser des cris aigus. Lorsqu'ils accoururent, ils trouvèrent leur maître étendu sur le carreau. Le géant était déjà rentré dans sa demeure, et on ne sentait plus dans la chambre qu'une légère odeur de fumée. Comme le seigneur avait les reins moins durs que le meunier, il resta au lit pendant deux jours avec une courbature; mais il ne voulait point se vanter des coups de bâton qu'il avait reçus: c'est pourquoi il ne parla de son aventure à personne. Il feignit même d'être très content de posséder le petit tonneau d'or.

Cependant le meunier et sa femme employèrent utilement leurs vingt mille livres. Ils achetèrent des prés et des champs; ils firent abattre leur mauvaise cabane et bâtir à la place une belle ferme, avec des granges, des étables, des écuries et une bergerie où ils mirent un troupeau de moutons. Jean-Pierre eut des valets de charrue, des travailleurs à ses gages, un garçon pour veiller au moulin. Au lieu de moudre du blé pour les autres, il fit de la farine avec le grain qu'il récoltait. Claudine acheta une robe de soie pour aller à la messe le dimanche. Aussitôt que Pierrot fut assez grand pour apprendre à lire, on l'envoya à l'école, et, dès l'âge de six ans, il était déjà plus savant que son père et sa mère. Ces bonnes gens auraient pu vivre heureux et tranquilles sans la méchanceté de leur seigneur. Monsieur le baron leur gardait rancune pour les coups de bâton qu'il avait reçus et les vingt mille livres qu'il avait payées. Il s'amusait à lâcher du gibier sur les terres de Jean-Pierre, et, sous le prétexte de la chasse, il dévastait les champs avec ses chevaux, ses chiens et ses piqueurs. Le meunier avait beau se plaindre, on ne l'écoutait pas, et on recommençait le lendemain.

Un jour le baron eut une querelle avec un autre seigneur du voisinage, et il voulut lui faire la guerre. Ce fut un prétexte pour lever des impôts sur ses vassaux; il en accabla Jean-Pierre et lui prit ses valets de charrue pour en faire des soldats, et ses chevaux pour mener les soldats à la bataille. Le meunier, se voyant menacé de retomber à la misère, se souvint alors des promesses que lui avait faites Madame la Pluie. Sans en parler à sa femme, il prit ses souliers ferrés, sa canne et son manteau

39

de laine, et s'en alla bien loin, jusqu'à ce qu'il eût trouvé le bord de la mer et la grotte de l'Ouest. Un jour gris régnait dans cette grotte; un brouillard léger en voilait l'entrée, et l'humidité suintait à travers les rochers. De petits esprits y voltigeaient avec des ailes semblables à des nageoires. En passant, ils jetaient de l'eau sur le nez de Jean-Pierre, et disaient tout bas:

« Mouillons, trempons cet indiscret. Perçons-lui son manteau. Pénétrons à travers ses chaussures. »

Mais Jean-Pierre releva le collet de son manteau et marcha hardiment jusqu'au fond de la grotte. Il y trouva Madame la Pluie entourée de nymphes grises, languissantes et enrhumées comme elle. On était alors dans le cœur de l'été; la Pluie en profitait pour faire ses provisions. Les petits esprits apportaient une à une les gouttes d'eau que le soleil avait enlevées sur la mer, dans les rivières, les bois, les marais et les prairies. Les nymphes recevaient ces gouttes d'eau dans des coupes d'or et les jetaient ensuite dans un grand réservoir. Lorsque Madame la Pluie aperçut Jean-Pierre, elle se mit à bâiller; puis elle se moucha, et lui dit d'une voix lamentable:

« Quel est cet ennuyeux personnage qui vient me troubler dans mes occupations?

— Madame, répondit le meunier, je suis Jean-Pierre, chez qui vous avez pris un peu de repos il y a longtemps. Vous m'avez promis de vous intéresser au sort de mon enfant. Le petit Pierrot aura bientôt sept ans, je viens vous prier de faire quelque chose pour lui. Il le mérite par sa sagesse, puisqu'il sait déjà lire couramment.

— Que veux-tu que je fasse pour lui?

— Madame, je suis un pauvre paysan, qui n'a point d'idées. Je ne saurais quoi imaginer; mais je m'en rapporte à vous.

— Rustre que tu es! dit Madame la Pluie en éternuant, tu viens me déranger, et tu ne sais pas même ce que tu veux! Il faut pourtant me débarrasser de cet homme. Puisque son fils sait lire, qu'on lui donne ma grande boîte de cuivre avec la baguette et le livre doré sur tranches. Si le petit Pierrot est moins bête que son père, c'est assez pour faire sa fortune. »

Les esprits apportèrent la grande boîte de cuivre, la baguette et le livre doré sur tranches. Jean-Pierre mit le tout sous son bras, et s'enfuit en courant.

VII

« Ma femme, dit le meunier en arrivant chez lui tout essoufflé, voici un superbe cadeau que Madame la Pluie m'a donné. Elle m'a assuré que, si notre petit Pierrot était moins bête que moi, il y aurait là-dedans de quoi faire sa fortune.

— Grand Dieu! s'écria Claudine, tu avais donc encore un secret que tu ne me disais point? Est-il possible que tu l'aies gardé si longtemps? Qu'est-ce que Madame la Pluie? Qu'est-ce que cette boîte de cuivre? Mais parle donc bien vite; je n'en puis plus d'envie de savoir le secret. »

Jean-Pierre raconta qu'il avait reçu la visite de Madame la Pluie dans la même nuit où Monsieur le Vent était venu, et qu'elle lui avait promis de faire du bien au petit Pierrot, comment il l'était allé voir à la grotte de l'Ouest, et comment elle lui avait donné la boîte de cuivre, la baguette et le livre doré sur tranches.

« Pourvu, disait Claudine en tremblant, qu'il n'y ait pas quelque nouveau géant dans cette boîte! Pourvu que tout ceci ne finisse pas encore une fois par des coups de bâton!

— Ma mère, dit le petit Pierrot, donnez-moi le livre; je verrai ce qui est écrit dedans. »

Pierrot ouvrit le livre doré sur tranches, et il lut ces mots écrits au frontispice: « *Douze comédies représentées par les marionnettes merveilleuses de la boîte en cuivre et inventées par Madame la Pluie, pour le divertissement des petits garçons et des petites filles.* »

« Frappez sans crainte avec la baguette, s'écria Pierrot; cette boîte est un théâtre de marionnettes. »

Le meunier mit la boîte de cuivre sur la table, prit la baguette et frappa sur le couvercle. Aussitôt la boîte merveilleuse s'ouvrit; le compartiment de devant s'abattit, et l'on aperçut un théâtre fermé par un rideau rouge. De petites bougies allumées formaient la rampe. On entendit les trois coups qui annonçaient que la pièce allait commencer; la toile se leva et l'on vit une belle décoration représentant une forêt. Une marionnette de bois, haute de cinq à six pouces, sortit de la coulisse, et se mit à faire des gestes si expressifs que Pierrot reconnut tout de suite la première scène de la comédie dont il avait les paroles sous les yeux. Il passa derrière la table et lut à haute voix le rôle du petit acteur. Un autre personnage entra bientôt, et Pierrot, changeant de ton, lut son rôle. Il récita ainsi toute la première comédie, qui s'appelait: *Les Aventures de l'Enchanteur Merlin*. A la dernière scène, les petits acteurs de bois saluèrent le public; la toile tomba, et la boîte de cuivre se referma brusquement.

« Mon père, dit Pierrot, frappez encore sur la boîte merveilleuse; nous verrons sans doute la seconde comédie qui s'appelle: *Les Amours du Chevalier Jasmin et de la Princesse Eglantine.* »

Jean-Pierre prit la baguette et frappa sur la boîte. Le théâtre s'ouvrit de nouveau, et l'on vit en effet paraître la belle Eglantine avec sa robe rose. Pierre récita les rôles en prenant une douce voix quand la princesse parlait, et une voix grave quand c'était le tour du chevalier. Après la seconde comédie, la boîte se referma;

mais Jean-Pierre frappa encore avec la baguette, et l'on vit la troisième comédie, qui s'appelait: *Les Dons de la Fée Patte-de-Mouche.*

Le meunier et sa femme veillèrent jusqu'à minuit pour regarder les douze comédies, et Pierrot récita tant de jolis discours qu'il en était un peu enroué.

« Ces comédies sont fort divertissantes, disait Jean-Pierre; mais ce théâtre n'est qu'un joujou, et je ne comprends pas comment il pourra faire la fortune de Pierrot.

— Je le comprends bien, moi, dit Claudine. Tout le monde voudra voir notre spectacle merveilleux. Pierrot s'en ira dans les châteaux du voisinage, avec la boîte de cuivre, la baguette et le livre doré sur tranches. Il amusera les enfants des seigneurs, on le régalera, il recevra des cadeaux, et qui sait? peut-être un jour il épousera une princesse Eglantine comme le chevalier Jasmin.

— Ce sont des rêveries que ces idées-là », murmura Jean-Pierre en s'endormant.

VIII

Le lendemain, au point du jour, Claudine mit son bonnet et sortit de la ferme pour aller raconter la nouvelle à sa voisine la laitière. Elle mêla si bien dans son discours Madame la Pluie, la grotte de l'Ouest et les nymphes avec l'enchanteur Merlin et la princesse

Eglantine, que la voisine la crut folle. Cependant la laitière, en portant sa crème et son beurre au château, ne manqua pas de raconter l'aventure, comme elle put, au cuisinier. Le cuisinier en parla au valet de chambre, qui s'en alla trouver Monsieur le baron. Jean-Pierre vit arriver son seigneur à la ferme.

« Mon ami, dit le baron, j'ai rencontré tout à l'heure dans un bois Madame la Pluie, qui est une amie de ma femme. Elle m'a parlé d'une boîte de cuivre dans laquelle est un théâtre de marionnettes, et m'a conseillé de te l'acheter pour amuser mes enfants.

— Cette boîte merveilleuse ne m'appartient pas, répondit le meunier. Elle a été donnée à mon fils Pierrot.

— Eh bien! c'est à Pierrot que je l'achèterai. Qu'avez-vous besoin d'un théâtre? Cela est bon pour des gens riches comme nous. Irez-vous perdre votre temps à regarder des marionnettes, au lieu de travailler? Une centaine d'écus valent mieux pour Pierrot que toutes les poupées du monde.

— Ce serait mon avis, répondit Jean-Pierre; mais ma femme m'a trop grondé de vous avoir vendu le petit tonneau d'argent. Je ne ferai rien sans la consulter. »

Claudine rentra, et le seigneur lui offrit d'abord cent écus du théâtre magique, et puis mille livres, et enfin deux mille; mais la meunière ne voulut rien écouter. Monsieur le baron se fâcha tout à fait, en disant qu'on refusait ses offres pour le plaisir de le contrarier, et qu'il saurait bien se venger. Alors le petit Pierrot s'approcha en ôtant son bonnet, et salua le baron:

«Monseigneur, dit-il, le théâtre merveilleux m'appartient. Si vous le permettez, et si Madame la baronne veut bien me recevoir chez elle, je porterai mon théâtre au château et je ferai jouer mes acteurs devant vos enfants aussi souvent que vous me le demanderez.

— A la bonne heure! dit le seigneur. Tu es un gentil garçon. Apporte ton spectacle ce soir après le dîner, et je te donnerai quelque chose pour ta peine.»

Le soir arrivé, Pierrot mit la grande boîte de cuivre dans une brouette et s'en alla au château. Madame la baronne était une belle dame aimable, charitable et bonne, qui tâchait d'adoucir un peu l'humeur de son mari. Elle avait trois jolis enfants, une fille et deux garçons. Pierrot fut reçu à merveille. On le caressa, on lui donna des gâteaux, et la baronne lui glissa de l'argent dans la main. Pour le premier jour, Pierrot fit jouer à ses marionnettes la première comédie seulement, et on la trouva si jolie qu'on le pria de revenir le lendemain. Le second jour, il montra la seconde comédie, et ainsi de suite jusqu'au douzième jour. Quand ce fut fini, on voulut recommencer. Pierrot prit donc l'habitude d'aller au château tous les jours; jamais il ne retournait à la ferme sans avoir reçu des caresses, des gâteaux et de l'argent, et le meunier, en voyant son fils revenir chaque soir avec les poches pleines, comprit enfin tout ce que valait le cadeau de Madame la Pluie.

La petite fille de la baronne, qui était du même âge que Pierrot, aimait passionnément les comédies de marionnettes. On l'appelait Marguerite. Elle avait les plus jolis yeux bleus et les plus beaux cheveux blonds du monde; mais elle était sage, douce et toujours de bonne humeur, ce qui vaut mieux que d'être belle. Pierrot l'aimait beaucoup, et Mademoiselle Marguerite avait aussi de l'amitié pour lui. Un soir, après le spectacle, elle soupira en disant:

« Tu es bien heureux, Pierrot, d'avoir un théâtre merveilleux. Madame la Pluie t'a donné là un joujou digne d'une princesse.

— Mademoiselle, répondit Pierrot, je suis bien heureux, en effet, de posséder une chose qui vous plaise, afin de pouvoir vous la donner. Si mon théâtre est digne d'une princesse, vous le trouverez peut-être digne de vous, et je vous l'offre de tout mon cœur. »

Marguerite avait grande envie d'accepter le présent; mais la baronne s'y opposa.

« Pierrot, dit-elle, tu es trop généreux. Garde ta boîte magique. Ma fille ne veut pas t'en priver.

— Laisse-le, dit le baron; s'il lui convient de donner son théâtre à Marguerite, il ne faut pas l'en empêcher. Ne te gêne pas, mon garçon. Ma fille acceptera le cadeau sans se faire prier.

— Mademoiselle, reprit Pierrot, le théâtre vous appartient. Voici la baguette magique. Amusez-vous avec les marionnettes autant que vous voudrez. »

Je vous l'offre de tout mon cœur.

Lorsque Jean-Pierre apprit que son fils avait donné la boîte de cuivre, il se mit en colère.

« Ne vous fâchez pas, mon père, lui dit Pierrot. Il est vrai que j'ai donné la boîte et la baguette; mais j'ai gardé le livre doré sur tranches, et vous verrez qu'on m'enverra chercher demain, comme à l'ordinaire, pour réciter la comédie. »

Le meunier n'écoutait rien et s'apprêtait à fouetter son fils; heureusement Claudine prit le petit Pierrot dans ses bras.

« Jean-Pierre, dit-elle à son mari, notre garçon en sait plus long que toi. Ce qu'il dit est raisonnable. Attends au moins jusqu'à demain avant de le fouetter. »

Un domestique du château vint chercher Pierrot le lendemain comme à l'ordinaire, car on avait besoin de lui pour faire parler les marionnettes. Après la comédie, Marguerite soupira en disant:

« Mon cher Pierrot, si tu ne me donnes pas le livre doré sur tranches, ton joli présent ne me servira de rien.

— Voici le livre, répondit Pierrot. Je le gardais pour avoir le plaisir de vous montrer moi-même le spectacle; mais puisque vous désirez l'avoir, je vous le donne. »

Jean-Pierre se mit dans une colère terrible en apprenant que son fils n'avait plus le livre doré sur tranches.

« Mon père, lui dit Pierrot, je n'ai pu résister au plaisir d'obliger Mademoiselle Marguerite; j'espère que nous nous en trouverons bien. Monsieur le baron ne nous tourmentera plus; Madame la baronne lui parlera en votre faveur, et j'aurai gagné l'amitié de la plus aimable demoiselle qui soit au monde. »

Le meunier voulait absolument fouetter son fils. Heureusement Claudine emporta Pierrot, en disant:

« Attends un peu, Jean-Pierre; attends au moins que nous sachions si ce que dit notre enfant arrivera. »

49

Mais le lendemain le domestique du château ne vint pas comme à l'ordinaire.

« On n'a plus besoin de moi, disait Pierrot, et on m'oublie ; mais je ne regrette rien, puisque j'ai fait plaisir à Mademoiselle Marguerite. »

IX

Ce n'était pas la faute de Marguerite si Pierrot ne venait plus au château. Elle aurait voulu qu'on l'envoyât chercher, pour lire la comédie. Le baron avait répondu qu'il valait mieux faire lire la pièce par la vieille gouvernante des enfants, et qu'on pouvait se passer de Pierrot. Comme la vieille gouvernante portait de grosses lunettes qui lui pinçaient le nez, sa voix était nasillarde et traînante, et tout le charme du spectacle se trouvait détruit. Les enfants regrettaient Pierrot, et Marguerite était bien fâchée de lui avoir demandé le livre doré sur tranches.

Un jour, la fille d'un seigneur du voisinage vint au château, et, pour la divertir, on lui fit voir une représentation du théâtre merveilleux. A peine eut-elle exprimé son admiration et son plaisir, que Marguerite s'écria :

« Ma chère amie, puisque mon théâtre vous plaît, je suis heureuse de pouvoir vous le donner. Emportez-le chez vous. »

La petite fille accepta ce beau présent, embrassa ten-
drement son amie, et emporta la boîte de cuivre, la
baguette et le livre doré sur tranches. Le baron, qui
était à la chasse, se mit en fureur lorsqu'il apprit ce que
Marguerite venait de faire; il voulut lui donner le fouet,
mais la baronne s'y opposa en disant:

« Si notre Marguerite est généreuse, c'est un bon et
rare défaut dont je ne veux point qu'on la corrige. »

Cependant les enfants s'ennuyaient de n'avoir plus
leur théâtre. Leurs jeux ordinaires ne les amusaient plus,
et ils bâillaient du matin au soir.

«Au moins, disaient-ils, si Pierrot était ici, il nous
raconterait l'histoire du chevalier Jasmin et de la princesse Eglantine. »

On envoya chercher Pierrot.

« Mes amis, dit-il aux enfants, ne vous désolez pas.
Vous avez bien fait de donner ce spectacle merveilleux;
il ne faut jamais regretter d'avoir été généreux. Je tra-
vaille chez un maître charpentier, et je vais vous cons-
truire moi-même un autre théâtre en bois. Il ne sera pas
aussi beau que l'autre, et les petits acteurs ne manœu-
vreront pas aussi bien; mais je tâcherai de me rappeler
la comédie du chevalier Jasmin, et je pourrai encore
vous la réciter, en remplaçant ce que j'aurai oublié par
des mots de mon invention. »

Pierrot alla chercher ses outils de charpentier. Il scia
des planches et construisit un théâtre, avec des coulisses

51

et une rampe. Il peignit des décors en papier. Un grand pot de confitures, sur lequel il dessina des pierres, représenta la tour d'une forteresse. Pendant qu'il travaillait, Madame la baronne faisait de petites poupées avec du linge, et découpait du satin et de la mousseline pour habiller les acteurs. Le chevalier Jasmin eut un joli manteau blanc, et la princesse Eglantine une robe de soie rose.

Pendant qu'il travaillait, Madame la baronne faisait de petites poupées.

Tous les autres personnages furent bientôt achevés. On leur attacha un fil de fer au sommet de la tête. La doublure rouge d'une robe de chambre servit à tailler le rideau du théâtre. On alluma des bougies; Pierrot rassembla ses acteurs; puis il frappa les trois coups, et la pièce commença.

LE CHEVALIER JASMIN

ET

LA PRINCESSE ÉGLANTINE

Comédie en trois actes pour les marionnettes

PAR

MADAME LA PLUIE

Personnages de la comédie

ARTHUS, roi d'Angleterre *(voix de basse)*.
ÉGLANTINE, sa fille *(voix flûtée)*.
CHRISTIAN, prince de Danemark *(voix de fausset)*.
LE CHEVALIER JASMIN *(voix naturelle)*.
PAQUERETTE, suivante de la princesse *(voix de tête)*.
GULDENSTERN, général danois *(voix baroque)*.
COURTISANS ANGLAIS ET SOLDATS DANOIS.
LE LION DE LA MÉNAGERIE.

(*Nota.* — L'armée danoise peut être représentée par une douzaine de marionnettes dont on tient les fils de fers dans une seule main.)

ACTE PREMIER

Le théâtre représente le jardin du palais d'Arthus à Londres.

SCÈNE PREMIÈRE

(*Nota.* — Pendant les trois premières scènes, la princesse ne devant faire aucun mouvement, on peut l'accrocher à un clou.)

ÉGLANTINE, PAQUERETTE

PAQUERETTE.

Mademoiselle, chère princesse, ne me tournez pas le dos ainsi, je vous en prie. Regardez-moi un peu; je suis votre Pâquerette, votre amie. Confiez-moi vos peines... Vous ne répondez pas? Depuis huit jours que vous restez dans ce jardin, vous n'avez pas même voulu ouvrir la bouche pour manger. Cela peut vous faire du mal, et je remarque en effet de la pâleur sur votre visage. Il faut que vous soyez bien triste pour garder aussi longtemps le silence. Remuez au moins votre petit doigt; que l'on voie si vous êtes morte ou vivante. C'est aujourd'hui que votre futur mari arrive à la cour... Eh! que dites-vous? Il me semblait vous entendre soupirer. Est-ce que ce mariage vous contrarie? Le prince Christian est pourtant un seigneur aimable. Il vous a envoyé de Danemark des présents superbes, et vous ne les avez pas seulement regardés. Comment ce prince pourrait-il vous déplaire puisque vous ne le connaissez pas encore? Allons, Mademoiselle, ne restez pas ainsi immobile comme une statue. Le roi votre père finira par se fâcher, et, voyant que vous ne voulez plus bouger, il vous mettra dans une armoire. Le voici justement qui vient de ce côté. Il marche à grands pas. Je m'enfuis, car je vois bien au tremblement de son corps qu'il est en colère.

SCÈNE II

ÉGLANTINE, LE ROI ARTHUS

LE ROI.

Fille ingrate, romprez-vous enfin ce silence obstiné? Daignerez-vous faire un petit mouvement et répondre au moins à votre père? Dites-moi la cause de votre chagrin. Parlez, je vous écoute... Vous vous taisez? Cet entêtement devient insupportable. Ma patience est à bout. Prenez garde, ma fille; ne me forcez pas à user de mon autorité; vous pourriez vous en repentir. Le prince Christian est arrivé de Danemark; il va venir vous faire sa cour. Apprêtez-vous à le bien recevoir. Le voici qui se dirige par ici. Pour l'amour de Dieu, Eglantine, répondez à ce qu'il vous dira.

Le Danemark entier s'incline devant vous en ma royale personne.

SCÈNE III

Les mêmes, LE PRINCE CHRISTIAN

LE ROI.

Approchez, mon gendre; ma fille est aussi aise que moi de vous voir à Londres.

CHRISTIAN, *saluant.*

Incomparable princesse, fleur de la Grande-Bretagne, le Danemark entier s'incline devant vous en ma royale personne. La guerre est à jamais finie entre nos Etats, et désormais je ne tirerai plus l'épée que pour vous proclamer dans les tournois la plus belle des belles, comme je suis le plus vaillant des chevaliers. *(Il fait une pirouette.)*

LE ROI, *bas, à sa fille.*

Saluez donc, Eglantine. Répondez. *(Haut.)* Seigneur Christian, ma fille est si touchée de votre galanterie qu'elle n'ose

57

répondre. Excusez sa modestie et son inexpérience. Laissez-moi seul un instant avec elle, je vais lui délier la langue.

CHRISTIAN.

Bien volontiers, seigneur, je reviendrai dans un moment, lorsque la langue de l'incomparable Eglantine sera déliée.
(*Il sort en faisant plusieurs pirouettes.*)

SCÈNE IV

LE ROI, ÉGLANTINE

LE ROI.

Malheureuse enfant! Vous voulez donc me réduire au désespoir? Voyez dans quel affreux embarras vous me mettez. S'il faut avouer au prince de Danemark que ma fille est devenue immobile comme une statue, j'en serai malade de honte. Vous mériteriez d'être enfermée dans un cachot noir, au fond de la citadelle, avec les araignées et les cloportes. Mais auparavant, je veux que votre mariage se fasse, et je vais ordonner qu'on vous prenne par les mains pour vous conduire à l'église. Si vous ne voulez pas prononcer le « oui », je le dirai moi-même, et vous serez mariée de force.

ÉGLANTINE, *se jetant aux pieds du roi.*

Ah! Sire, ayez pitié de votre fille. Ne me forcez pas d'épouser ce prince que je déteste, ou bien vous allez me voir mourir sous vos yeux.

LE ROI.

Voilà donc la cause de ce silence obstiné? Pourquoi détestez-vous ce jeune prince? Il n'est pas très laid. Il dit lui-même qu'il a du courage et de l'esprit.

ÉGLANTINE.

Sire, je le trouve affreux, et s'il avait de l'esprit et du courage, il ne le dirait pas lui-même. N'avez-vous pas remarqué sa fatuité et ses pirouettes?

LE ROI.

Les pirouettes n'ont rien de blâmable, puisqu'on les applaudit à l'Opéra. C'est le signe de l'aisance, de la grâce et d'une bonne éducation.

ÉGLANTINE.

Enfin, mon cher père, si je vous prouve clairement que le jeune prince n'est qu'un sot et un fanfaron, dispensez-moi de l'épouser. Sachez d'ailleurs que les fées s'opposent à ce mariage.

LE ROI.

O ciel! Il y a un mystère là-dessous. Qu'allons-nous devenir si les fées s'en mêlent! Mais comment prouverez-vous que le prince est un sot et un fanfaron?

ÉGLANTINE.

Cela me regarde; faites-le venir.

LE ROI, *appelant.*

Seigneur Christian, approchez. Ma fille désire vous parler. Sa langue est heureusement déliée.

SCÈNE V

LES MÊMES, CHRISTIAN

ÉGLANTINE.

Illustre prince, avant de vous épouser, je dois vous informer d'un événement singulier qui arriva au moment de ma naissance. Ma nourrice me portait dans ses bras, lorsqu'elle vit sortir de la muraille une fée, qui me toucha du bout de sa baguette, en me faisant plusieurs dons. Cette fée ajouta en terminant que j'épouserais un chevalier capable de faire assaut d'esprit avec moi, et qui me sauverait la vie le jour de mes noces.

CHRISTIAN.

Charmante Eglantine, cette prédiction n'a rien d'effrayant pour moi. Rivalisons d'esprit ensemble; je le veux bien. Mes courtisans disent que j'en suis pétri. Courez-vous quelque danger? Je suis prêt à vous sauver la vie. *(Il se dandine et fait des pirouettes.)*

ÉGLANTINE.

La fée vous fournira sans doute aujourd'hui l'occasion de me sauver la vie. Quant à l'assaut d'esprit, par considération pour les désirs de mon père, je le réduirai à une épreuve très simple: je vous proposerai une énigme à deviner. Si vous en trouvez le mot, nous nous marierons ensemble; mais si vous ne devinez pas, rien au monde ne pourra me décider à être votre femme. Dites-moi donc, je vous prie, quelle est la fleur passagère dont le parfum est sans agrément lorsqu'elle est toute seule, mais qui prend un parfum délicieux si on la place en compagnie d'autres fleurs; elle prête en même temps un éclat particulier à tout ce qui l'entoure. Dans les bouquets que l'on voit, elle se fane la première, tandis que ses compagnes se conservent plus longtemps. Une femme belle et vaine ne désirera que cette fleur pour s'en parer; la plus sage souhaitera plutôt d'avoir les autres.

CHRISTIAN.

Aimable Eglantine, je ne sais pas la botanique; mais si vous me donnez un petit quart d'heure pour réfléchir en me promenant dans le jardin, je trouverai certainement cette fleur extraordinaire.

ÉGLANTINE.

Promenez-vous, Seigneur. J'attendrai votre réponse.
(Christian sort en se dandinant.)

LE ROI.

Ma fille, comment voulez-vous que le prince devine quelle
est cette fleur? Il y en a tant dans mon jardin, que moi-même
je ne saurais pas la trouver.

ÉGLANTINE.

Il faut pourtant que le prince devine l'énigme, s'il veut
m'épouser, car voici les dernières paroles de la fée: « Si Eglantine se marie avec un prince qui ne devine pas l'énigme et
qui ne lui ait pas sauvé la vie, elle sera changée en statue. »
Mon cher père, vous avez déjà vu ce matin que j'ai failli
perdre l'usage de la parole; gardez-vous bien de vouloir contrarier la fée. Sa prédiction s'accomplirait.

LE ROI.

Hélas, quelle aventure! Encore s'il ne s'agissait que de
vous voir muette, on pourrait s'en consoler; mais avoir pour
fille une statue! Cette idée est tout à fait pénible. Je me sens
accablé de douleur, et je vais essayer de pleurer dans mon
cabinet.

(Il sort.)

ACTE II
Le théâtre représente une autre partie des jardins.

SCÈNE PREMIÈRE
ÉGLANTINE, LE CHEVALIER JASMIN

LE CHEVALIER.

Qu'ai-je appris, princesse? C'est aujourd'hui que vous vous mariez avec un étranger? Vous m'aviez promis de me choisir pour époux; mais, hélas! je ne suis qu'un pauvre chevalier, et vous voulez être reine de Danemark. Je vois bien que je n'ai plus rien à espérer. Je viens vous faire mes adieux, et vous regarder pour la dernière fois; demain je partirai pour la terre sainte, et je chercherai la mort dans une bataille contre les Turcs.

ÉGLANTINE.

Ingrat, vous osez me faire des reproches, lorsque je me donne tant de peine pour éloigner votre rival! Au lieu d'aller en Palestine, songez plutôt à mériter ma main.

LE CHEVALIER.

Que faut-il entreprendre pour cela, belle Eglantine? Je suis capable de tout. Je traverserais des fleuves à la nage, je me précipiterais dans les flammes. Donnez-moi des lions à combattre, des serpents, des dragons à couper avec mon épée.

ÉGLANTINE.

Il faut seulement attendre l'occasion de me sauver la vie, comme l'a ordonné la fée. Il faut vous tenir tranquille; ne pas bondir ainsi par-dessus les arbres et les parterres du jardin; être discret, et supporter avec patience la présence de votre rival.

LE CHEVALIER.

Eh! le puis-je, princesse? L'amour me fait bondir. La jalousie, l'inquiétude me font sauter par-dessus les arbres. Je ne puis m'en empêcher.

ÉGLANTINE.

Sautez donc, si vous le voulez. Tout le monde verra votre amour et votre jalousie; on en parlera à mon père, je serai enfermée dans la citadelle, vous ne serez jamais mon mari, et j'en mourrai de chagrin.

LE CHEVALIER.

Ah! ce serait une faiblesse impardonnable que de vous désobéir, chère Eglantine. Je deviendrai raisonnable pour vous mériter. Voyez, déjà je ne saute plus, et je me tiens immobile sur mes jambes comme un docteur. L'amour seul peut me transformer ainsi; l'amour seul et l'espoir que me donnent les mots charmants que je viens d'entendre. Permettez-moi au moins de me prosterner à vos genoux et de baiser votre main.

ÉGLANTINE.

Non, chevalier. Cela ne serait pas convenable; d'ailleurs, les galons de votre manteau s'accrocheraient aux broderies de ma robe; nous ne pourrions plus les décrocher, et l'on verrait ainsi que vous vous êtes jeté à mes genoux. L'excès de votre tendresse ne me déplaît pas. Adieu, chevalier, je vais aller soupirer un peu dans mon boudoir, car je me sens le cœur bien agité. *(Elle sort.)*

SCÈNE II

JASMIN, CHRISTIAN *arrive à la poursuite d'un papillon.*

LE CHEVALIER, *à part.*

Quel est cet inconnu qui poursuit un papillon? Observons-le sans rien dire.

CHRISTIAN.

Le voilà posé sur une fleur. — C'est une tulipe. — Le papillon doit s'y connaître. Je dirai à la princesse que sa fleur mystérieuse est la tulipe. — Mais voici une personne de la cour.

LE CHEVALIER, *s'approchant.*

Vous êtes étranger sans doute, Monsieur?

CHRISTIAN.

Oui, Monsieur, je suis l'écuyer du prince de Danemark, et charmé de faire votre connaissance. Je m'amusais à réfléchir sur une énigme que vous pourrez peut-être m'aider à deviner. Quelle est la fleur dont le charme est doublé lorsqu'elle est accompagnée d'autres fleurs moins brillantes? Une femme belle et vaine désire la posséder de préférence à ses voisines; mais une femme sage souhaitera plutôt les autres, qui sont moins passagères.

LE CHEVALIER.

Ce doit être la jeunesse, Monsieur. Son éclat est doublé quand les talents et les vertus l'accompagnent. Elle passe, et les autres fleurs restent. La femme frivole ne souhaite pas d'autre avantage; une personne sage aimera mieux les talents et les vertus qui survivent à la jeunesse.

CHRISTIAN.

Grand merci, Monsieur. Vous avez raison. C'est bien cela. Je m'en vais tout de suite trouver le roi et la princesse. Quel bonheur! J'ai deviné l'énigme. Oh, qu'un prince de Danemark est heureux d'avoir de l'esprit! *(Il sort en pirouettant.)*

SCÈNE III

LE CHEVALIER, *seul.*

Que dit-il? — Trouver la princesse! Deviné l'énigme! — Grand Dieu! est-ce que j'aurais donné des armes contre moi-même ? Est-ce que cet inconnu serait le prince de Danemark ? Ah! je n'aurais plus qu'à me noyer. La jalousie me déchire le cœur. Malgré mes promesses à la belle Églantine, je ne puis cacher les transports de ma passion. C'est un supplice affreux. *(Il saute par-dessus les arbres et les parterres de fleurs.)* Je n'y résiste plus. L'amour m'emporte à faire mille extravagances. Allons, volons à la recherche de la princesse, et prévenons mon rival s'il est encore temps. *(Il sort.)*

ACTE III

Le décor représente la forteresse.

SCÈNE PREMIÈRE

LE ROI et plusieurs courtisans, LE PRINCE CHRISTIAN et LE CHEVALIER JASMIN *au haut de la citadelle,* ÉGLANTINE *au pied de la tour.*

ÉGLANTINE.

Que vais-je devenir, mon Dieu ? Le prince de Danemark a déjà deviné l'énigme. Il ne lui manque plus que de me sauver la vie pour mériter d'être mon époux. La fée est venue me trouver dans mon boudoir, et m'a dit de ne rien craindre; mais si son dessein est de me faire épouser ce Christian, que je n'aime pas, je serai la plus malheureuse des reines. Jamais je n'y consentirai. Je préfère encore devenir une statue.

LE ROI, *en haut de la tour.*

Admirez, mon gendre, la vue qu'on a de cette tour. Voyez ces plaines qui s'étendent au loin, la mer qu'on aperçoit à l'horizon. N'est-ce pas fort joli ?

CHRISTIAN.

De toute beauté, Sire. L'air vif qu'on respire ici nous donnera de l'appétit pour le repas de noces. Nous nous amuserons tout à l'heure à deviner d'autres énigmes, car je suis fort habile à ce jeu-là.

ÉGLANTINE.

O ciel! Je vois le chevalier qui s'agite là-haut comme un forcené. Il va commettre quelque imprudence. La fée m'abandonne. Ah! malheureuse Eglantine, tu n'as plus qu'à mourir!

SCÈNE II

LES MÊMES, PAQUERETTE, *courant.*

PAQUERETTE.

Mademoiselle, venez bien vite, le lion de la ménagerie a brisé sa cage. Il accourt de ce côté. Il va vous dévorer si vous ne vous sauvez tout de suite. *(Elle s'enfuit.)*

ÉGLANTINE.

Au secours, au secours! le lion a brisé sa cage. Le voici qui vient à moi. Je suis perdue. Il va me dévorer. Au secours, mon cher papa!

LE ROI, *en haut de la tour.*

Attends un peu, ma fille, je vais descendre avec mes soldats, et nous tuerons le lion.

ÉGLANTINE.

Hélas! mon père, il vous faut un quart d'heure pour descendre, et le lion est à deux pas. Il aura le temps de me manger. Sautez en bas de la tour, ou je suis morte.

LE ROI.

Ma pauvre fille, je ne suis plus assez leste pour sauter en bas d'une muraille de deux cents pieds.

ÉGLANTINE.

Seigneur Christian, voici l'occasion de me sauver la vie. Sautez, sautez en bas de la citadelle.

CHRISTIAN.

Mademoiselle, considérez que, si je saute, je me casserai au moins bras et jambes, et comment pourrai-je tuer le lion avec les bras et les jambes cassés?

ÉGLANTINE.

Et vous, chevalier, mon cher Jasmin, mon ami d'enfance, me laisserez-vous manger par ce lion terrible? Entendez ses rugissements. Le voici, le voici. *(Le lion rugit dans la coulisse, et arrive sur la scène en bondissant.)*

LE CHEVALIER, *du haut de la tour.*

Rassurez-vous, princesse, je vole à votre secours, dussé-je me rompre les os. *(Il saute en bas de la tour, court au lion, et le tue.)*

Je vole à votre secours.

67

ÉGLANTINE.

Vous m'avez sauvé la vie, chevalier, vous méritez d'être mon époux. Pourquoi faut-il, hélas! que le prince de Danemark ait deviné l'énigme!

LE CHEVALIER.

C'est moi qui l'ai devinée. Je lui en ai dit le mot tout à l'heure.

ÉGLANTINE.

Ah, que je suis contente! La fée ne m'a pas trompée. Vous allez être mon mari. A présent, chevalier, vous pouvez vous jeter à mes genoux, et si votre manteau s'accroche à ma robe, cela ne fera rien.

CHRISTIAN.

Il ne sera pas dit que le chevalier Jasmin m'aura surpassé en courage. Puisqu'il a sauté, je prétends sauter aussi. *(Il se précipite et reste étendu sans mouvement au pied de la tour.)*

LE ROI.

O fâcheux accident! Le prince s'est cassé la tête, et je crains bien qu'on ne puisse la raccommoder. Quoiqu'on voie beaucoup de pères marier leurs filles à des hommes privés de tête, il ne serait pas prudent de les imiter. Mais j'aperçois une armée qui s'avance. Ce sont les Danois qui viennent pour venger la mort de leur prince. Hélas! Ils auront le temps de ravager tout mon royaume avant que je sois descendu de la tour. J'entends déjà leur trompette qui sonne l'attaque. *(On entend la trompette.)*

LE CHEVALIER.

Je suis prêt à les combattre, Sire, et je les repousserai à grands coups de pied jusque dans leur patrie.

68

SCÈNE III

LES MÊMES, LE GÉNÉRAL GULDENSTERN *à la tête des Danois.*

GULDENSTERN.

Rendez-nous notre prince ou nous allons incendier la ville et égorger tous les habitants.

LE CHEVALIER.

Le voilà, votre prince; emportez-le et débarrassez-nous de votre présence.

GULDENSTERN.

Je n'accepte pas ce prince-là. Il me faut un Christian en bon état, avec une tête complète et non pas fendue en deux. Puisque vous nous avez cassé notre souverain, vous nous en payerez un autre.

LE CHEVALIER.

C'est lui-même qui s'est cassé la tête volontairement. Sortez d'Angleterre à l'instant, canaille étrangère, ou vous aurez affaire à moi.

GULDENSTERN.

Soldats, frappez ce chevalier! Entourez-le, assommez-le. Vive le Danemark! Vengeance, vengeance! Pillons la ville de Londres!

LE CHEVALIER.

Je vous en empêcherai bien. Vive l'Angleterre! *(Il s'élance contre les Danois et les disperse à grands coups de pied.)* Sire, votre royaume est délivré des ennemis.

LE ROI, *du haut de la tour.*

Brave Jasmin, tu as mérité la main de ma fille, je te la donne. Aussitôt que je serai descendu, nous te marierons et tu seras mon héritier. Mais je crains fort que le Danemark ne me fasse une guerre terrible.

ÉGLANTINE.

Non, mon cher père, nous n'aurons pas la guerre, car voici la pièce finie. La toile va tomber, les bougies s'éteignent; il nous reste à peine le temps de saluer le public et de lui demander pardon de toutes les balivernes que nous venons de dire.

Il s'élance contre les Danois et les disperse à grands coups de pied.

X

Peu de jours après la représentation de la comédie, les enfants de Monsieur le baron se promenaient avec leur vieille gouvernante. La bonne dame s'était assise sur l'herbe, tandis que les enfants jouaient et couraient dans une prairie. Pour s'occuper, la gouvernante mit ses lunettes et tira de sa poche un journal dont elle lut le feuilleton avec la plus grande attention et le plus vif intérêt. Ce feuilleton était le huit cent trente-sixième chapitre d'un gros roman commencé depuis bientôt trois ans, et comme le roman ne marchait pas et en restait toujours au même point, la bonne gouvernante s'endormit profondément. Pendant ce temps-là, les deux garçons grimpèrent sur les arbres pour cueillir des pommes, et la petite Marguerite s'en alla tout au bout de la prairie en cherchant des fleurs. Elle arriva ainsi au bord d'un ruisseau qui coulait parmi de grandes herbes. De l'autre côté d'une haie d'épines, il y avait un sentier dans lequel Pierrot passa en revenant du village. Il s'arrêta tout à coup en entendant des cris perçants.

C'était Marguerite qui appelait du secours.

« Oh! que j'ai peur, disait-elle. Voici un gros serpent qui se glisse dans l'herbe. Il s'approche de moi pour me mordre. Mes frères, Madame la gouvernante, venez me secourir. Hélas! ils ne m'entendent pas. Je vais mourir peut-être. »

Pierrot traversa la haie d'épines et accourut dans la prairie.

« N'ayez pas peur, Mademoiselle, dit-il; ce que vous voyez n'est pas un serpent. C'est une petite vipère qui ne vous mordra pas si vous ne la touchez point; mais pour vous rassurer, je vais la tuer. »

Avec le talon de son sabot, Pierrot écrasa la tête de la vipère.

« Que tu es courageux! lui dit Marguerite. Viens avec moi au château; je veux dire à ma mère que tu m'as sauvé la vie.

— Il n'y a pas grand mérite à ce que j'ai fait, Mademoiselle. Je suis obligé d'aller chez mon maître charpentier; mais j'irai vous voir au château dans un autre moment.

— Va travailler, mon ami, reprit Marguerite. Je n'oublierai pas ta belle action. Embrassons-nous, car je vois avec plaisir que tu n'es pas trop barbouillé aujourd'hui. »

Pierrot embrassa la petite fille sur les deux joues, et Marguerite lui rendit son baiser.

Le lendemain, Madame la baronne vint à la ferme. Elle embrassa aussitôt Pierrot, et lui donna une boîte remplie d'outils de charpentier, avec une douzaine de livres reliés en maroquin, parmi lesquels étaient des ouvrages de géométrie, une histoire ancienne et une histoire de France, depuis Pharamond jusqu'au roi Robert. Elle remit ensuite à Claudine une bourse bien garnie, en lui disant d'employer cet argent à faire instruire son fils. Pierrot, pénétré de reconnaissance, ouvrit les livres, après le départ de la baronne, et se dépêcha d'étudier, afin d'être bientôt aussi savant qu'il était courageux. Au bout de six mois, il savait par cœur tout ce qui était dans ses livres ; la baronne lui en donna d'autres qu'il lut assidûment. Il fut bientôt capable d'en remontrer au magister du village.

XI

Un soir, Jean-Pierre et sa femme étaient assis paisiblement au coin de leur feu dans une chambre bien close. Les volets étaient fermés et les fenêtres recouvertes de tapisseries. Il y avait double porte à la chambre et double porte à l'antichambre ; aussi ne sentait-on pas le moindre courant d'air. Le meunier et sa femme se réjouissaient des bontés de Madame la baronne, et ils goûtaient leur aisance avec d'autant plus de plaisir qu'on entendait le vent mugir au dehors. Les petits esprits ne trouvaient pas le moindre trou pour s'introduire dans la ferme. Cependant, à force de prêter l'oreille, Claudine crut distinguer leurs voix :

« Ingrat Jean-Pierre, disaient-ils, tu nous dois tout, et tu nous refuses un asile. Plus de carreaux cassés, plus de crevasses où nous puissions gémir et bourdonner! C'est à peine si l'on peut siffloter tout doucement par le trou de la serrure.

— Est-ce que Monsieur le Vent voudrait encore une fois entrer chez nous? s'écria Jean-Pierre, un peu effrayé.

— Il n'y aurait pas grand mal à cela, dit Claudine. Si l'envie lui en prend, laissons-le faire. Peut-être nous en trouverons-nous aussi bien que la première fois. »

En parlant ainsi, Claudine ouvrit toutes les portes. Au même instant Monsieur le Vent parut et s'élança dans la chambre en tournoyant. La queue de son manteau s'enlevait jusqu'au plafond, et ses deux grandes ailes remplissaient la moitié de l'appartement.

« Oh! dit-il avec sa grosse voix, il y a du changement ici. Tu as donc fait fortune, malgré tes sottises, maître Jean-Pierre? Tu es logé comme un marquis. Donne-moi une bergère que je me repose sur tes coussins, Monseigneur le meunier. »

Monsieur le Vent éclata de rire avec tant de force que les vitres en tremblèrent, et que le petit Pierrot s'éveilla en sursaut.

« Corbleu! reprit Monsieur le Vent, on est fort agréablement dans cette bergère. Tu es un brave homme, Jean-Pierre. Je te pardonne tes fautes, et te remercie de ton bon accueil; mais puisque te voilà riche, je ne te donnerai rien. Adieu, mon ami. »

Au moment où Monsieur le Vent s'apprêtait à s'envoler, Pierrot, qui s'était glissé en bas de son lit, ferma tout à coup les quatre portes de la chambre et du vestibule. Aussitôt on vit Monsieur le Vent chanceler sur ses pieds et retomber dans sa bergère. Ses grosses joues se dégonflèrent en formant mille rides. Sa large poitrine se rétrécit; son corps s'affaissa peu à peu, et ses ailes devinrent plus petites que celles d'un moineau franc. Il voulut crier; mais son gosier ne rendit qu'un son faible et voilé, comme s'il avait une extinction de voix.

« Mes amis, dit-il, ne me retenez pas. Ce serait un tour abominable. Donnez-moi de l'air. J'étouffe; ouvrez la fenêtre, par pitié! Vous ne voulez pas me faire mourir?

— Le vent ne meurt pas, dit Pierrot. Nous vous garderons seulement prisonnier, et pour sortir il faudra capituler avec nous.

— Bonnes gens, reprit Monsieur le Vent, que voulez-vous donc de moi?

— Il me faut beaucoup d'argent, dit Jean-Pierre.

— Nous voulons, dit Claudine, une indemnité pour les coups de bâton que nous a donnés le géant enfermé dans le petit tonneau d'or.

— Moi, dit Pierrot, je veux être créé chevalier ou baron!

— Malheureux, imprudent, fou que je suis! murmura Monsieur le Vent, d'être venu dans cette maison. Mes amis, je vous donnerai de l'argent et des petits tonneaux magiques; mais il n'y a que le roi qui fasse des chevaliers et des barons. Laissez-moi partir.

— Vous ne sortirez point, s'écria Claudine. Pierrot a raison. Vous devez capituler avec nous. »

Monsieur le Vent tenta un effort désespéré pour tâcher de s'enfuir; mais Jean-Pierre, Claudine et Pierrot se mirent à souffler tous les trois sur lui, et il se trouva si faible qu'il ne put leur opposer aucune résistance. On le fit voler d'un bout à l'autre de la chambre comme une plume, tant il était devenu menu et léger. On le poussa ainsi dans un cabinet bien clos, à deux portes et sans fenêtres, et on l'y enferma au double tour.

A peine Jean-Pierre eut-il retiré la clef du cabinet, et bouché le trou de la serrure avec du mastic, que le bruit du dehors cessa. La tempête, étant privée du vent, s'abattit à l'instant; les nuages ne pouvaient plus courir; les feuilles des arbres ne bougèrent plus, et les ailes du moulin s'arrêtèrent.

XII

Le meunier, sa femme et le petit Pierrot tenaient conseil entre eux pour savoir comment ils tireraient de Monsieur le Vent une grosse rançon, lorsqu'ils entendirent la pluie tomber à torrents, et les voix des petits esprits chuchoter sur le toit:

« Ingrat Jean-Pierre, disaient ces voix. Nous avons fait ta fortune, et tu nous refuses l'entrée de ta maison! Nous glissons sur les ardoises, nous coulons de la gouttière dans le ruisseau. Plus de vitres brisées, plus de trous au mur! Nous ne pouvons plus mouiller tes meubles, ni sauter dans ta chambre. C'est en vain que nous tombons par milliers, petites gouttes, gouttes, gouttes. »

« Est-ce que Madame la Pluie serait disposée à revenir? dit le meunier.

— Ouvrons-lui la fenêtre bien vite », s'écria Claudine.

Aussitôt que la fenêtre s'ouvrit, Madame la Pluie entra. Des flots de larmes coulaient de ses yeux; ses habits étaient plus trempés qu'à sa première visite, et son nez plus enflé par le rhume de cerveau.

« Qu'est-il donc survenu ici? dit-elle d'un ton lamentable. Je ne reconnais plus cette maison. Donne-moi un bon fauteuil, Jean-Pierre, afin que je puisse bâiller et m'ennuyer un instant dans ce joli appartement. Je t'ai porté bonheur, à ce que je vois. La boîte de cuivre et le livre doré sur tranches ont profité au petit Pierrot. Comme vous n'avez plus besoin de moi, je ferai du bien à d'autres. Adieu, mes amis. »

Elle allait déjà se glisser par la fenêtre, lorsque Claudine ferma brusquement les persiennes, les volets et les doubles rideaux. Aussitôt Madame la Pluie tomba en défaillance dans son fauteuil. Ses larmes cessèrent de couler; son nez se dégonfla; ses vêtements se séchèrent; sa physionomie devint souriante, et son visage sembla presque coloré.

« O désespoir! s'écria-t-elle d'une voix moins traînante, me voilà prise! Mes amis, ne me faites pas mourir, ne m'enfermez pas dans cette serre chaude. Je me dessèche! Au secours! Ouvrez la fenêtre, par charité.

— La Pluie ne saurait mourir, dit Pierrot. Vous ne sortirez pas sans payer pour votre délivrance.

— Payer, mon Dieu! Et que voulez-vous que je paye? Parlez vite; je n'en puis plus. Si vous ne me rendez pas ma langueur, mes larmes, mon ennui et mon rhume de cerveau, je vais avoir une attaque de nerfs.

— Cela ne sera rien, dit Jean-Pierre. Je vous jetterai un verre d'eau sur le visage, comme je fais lorsque ma femme a envie de s'évanouir. Il faut capituler avec nous. Je veux de l'argent; Claudine demande un don magique, et Pierrot désire des lettres de noblesse.

— Vous aurez de l'argent et le don magique; mais Pierrot ne deviendra baron que s'il se distingue par des actions d'éclat. Laissez-moi partir. O folle, étourdie que je suis, d'avoir donné dans ce piège! »

Madame la Pluie poussa des sanglots et porta sa main à ses yeux pour y chercher une larme; mais pas une goutte d'eau ne voulut sortir. Elle tenta un dernier effort pour s'échapper; mais Jean-Pierre s'arma d'un parapluie, Claudine d'une bassinoire, et Pierrot lui jeta sur le nez une serviette chauffée au feu. Elle tomba pâmée sur le tapis de la cheminée. Alors Claudine prit Madame la Pluie par le milieu du corps et la jeta dans un évier. On l'entendit couler dans le plomb et tomber au fond de la citerne, dont Jean-Pierre ferma soigneusement le couvercle, en le chargeant d'un gros pavé.

Au même instant, les ruisseaux cessèrent de murmurer au dehors; la gouttière se vida; les feuilles des arbres se séchèrent, la terre but l'eau qui était tombée; le ciel ôta son manteau de nuages pour mettre son habit parsemé d'étoiles, et la lune resplendissante lança ses rayons bien loin dans la plaine.

XIII

Dans ce temps-là, Guillaume, duc de Normandie, entreprit la conquête de l'Angleterre. Il rassembla tous ses soldats, et appela sous ses étendards les seigneurs de tous pays qui voulurent prendre part à la guerre. Monsieur le baron, qui s'ennuyait dans son château, se résolut à partir. Il se rendit à Caen, auprès du duc Guillaume. L'armée s'embarqua dans une quantité de petits vaisseaux, et alla aborder en Angleterre. Le prince Harold, chef des Anglais, amassa des troupes à Londres et marcha

au-devant de Guillaume pour défendre son royaume.
Les deux armées se rencontrèrent dans la plaine d'Hastings, et l'on s'attendit à une bataille effroyable.

Madame la baronne était fort inquiète de son mari,
dont elle ne recevait pas de nouvelles. Les enfants
n'osaient plus jouer entre eux, voyant le chagrin de leur
mère, et Mademoiselle Marguerite pleurait en songeant
aux dangers que courait son papa. Un jour Pierrot vint
au château, et il trouva tout le monde dans la conster-
nation.

« Ne vous affligez pas, Madame la baronne, dit-il,
et vous, ma chère Marguerite, essuyez vos larmes. Dans
une heure, vous aurez des nouvelles de Monsieur le
baron. »

Pierrot courut à la ferme et il entra dans la prison
de Monsieur le Vent. Il le trouva étendu sur un canapé,
tout engourdi, et si racorni qu'on distinguait à peine
son corps parmi les plis de ses vêtements.

« Levez-vous, Monsieur le Vent, dit Pierrot. J'ai une
commission importante à vous donner. Ne seriez-vous
pas bien aise de prendre un peu l'air, et de courir en
liberté par-dessus la mer ?

— Oui, sans doute, répondit le Vent, j'en serai bien
aise, car je me consume dans cet affreux cachot.

— Eh bien ! je vous donnerai la clef des champs
pour une heure ; mais il faut me promettre de revenir
et de faire une commission importante.

— Quelle commission ? Parle vite, et ouvre les portes. Dépêchons-nous. Je suis prêt à partir.

— Un moment, reprit Pierrot. On ne part pas ainsi. Etendez d'abord votre main et jurez de revenir dans une heure.

— Et quel besoin y a-t-il de jurer ?

— Si vous ne jurez pas, je ne vous ouvrirai point les portes. »

Monsieur le Vent étendit sa main et prononça le serment.

« A présent, dit Pierrot, allez en Angleterre ; volez d'un trait jusqu'au camp du duc Guillaume. Regardez ce qui se passe et apportez-moi des nouvelles de Monsieur le baron. Il ne vous faut pas plus d'une heure pour tout cela ; mais je vous donne le quart d'heure de grâce pour faire un peu l'école buissonnière. »

Pierrot ouvrit les portes. Monsieur le Vent aspira une bouffée d'air ; sa poitrine s'enfla aussitôt comme un ballon. Il déploya ses grandes ailes et s'élança par-dessus les arbres et les clochers, avec un sifflement terrible. Il était parti depuis une heure et un quart, lorsque Pierrot le vit revenir.

« Oh ! dit Monsieur le Vent, quelle belle promenade je viens de faire là ! Je me suis bien diverti. Les deux armées se sont battues dans la plaine d'Hastings. Le duc Guillaume a été vainqueur. Harold est tué. Les Normands marchent sur Londres ; Monsieur le baron se porte bien ; il s'est conduit vaillamment, et le duc lui a promis des biens et des honneurs en récompense de son courage.

— Fort bien, dit Pierrot en fermant les portes. Je vous remercie de votre promptitude. Dormez maintenant jusqu'à demain. »

Pierrot courut au château, et donna ces heureuses nouvelles à la baronne et aux enfants. Quoiqu'il ne voulût pas dire comment il s'y était pris pour savoir cela, on le crut volontiers parce que les nouvelles étaient bonnes. Au bout de quinze jours, la baronne fut bien étonnée en recevant une lettre de son mari, dans laquelle se trouvait mot pour mot tout ce qu'avait annoncé Pierrot. Pour le remercier, elle le combla de cadeaux et de friandises, et lui donna la permission de venir tous les jours au château pour voir son amie Marguerite.

XIV

Les mois et les années s'écoulaient. Pierrot atteignit un beau jour ses quatorze ans. Comme il était grand et robuste, il voulut aller chercher fortune en Angleterre.

Il fit ses adieux à Madame la baronne, et il embrassa les enfants. On lui donna un bagage complet, de l'argent, un cheval et des provisions. Marguerite lui broda un beau mouchoir, comme un gage de son amitié. Jean-

Pierre lui souhaita bonne chance, et Claudine le pressa dans ses bras en pleurant.

« Ne pleurez point, dit Pierrot. Je reviendrai peut-être bientôt riche et grand seigneur. Ne laissez point échapper Monsieur le Vent ni Madame la Pluie. Envoyez-les en Angleterre tous les matins. Ils vous rapporteront de mes nouvelles, et je les emploierai utilement au service du duc Guillaume. N'oubliez pas surtout de leur faire prononcer le serment sacré, avant de leur permettre de sortir. »

Claudine promit de suivre exactement les instructions de son fils. Pierrot monta sur son cheval et partit, en pressant sur son cœur le mouchoir brodé par Marguerite. Il traversa une partie de la Bretagne, et arriva

Jean-Pierre lui souhaita bonne chance, et Claudine le pressa dans ses bras en pleurant.

au bout de trois jours à Caen. Des Normands qui pas-
saient en Angleterre le prirent dans leur vaisseau. Monsieur le Vent, que Claudine laissa sortir fort à propos,
souffla dans les voiles. Pierrot entra le quinzième jour à
Londres, où le duc Guillaume demeurait. Il se logea dans
une petite auberge, en attendant l'occasion de se présenter à la cour. Un matin qu'il prenait l'air à sa fenêtre,
Pierrot vit courir à lui Monsieur le Vent qui lui dit:

« Je suis à tes ordres, Pierrot; ta mère m'envoie savoir
comment tu te portes, et si tu as besoin de mes services.

— Dites à ma mère que je l'aime et que je me porte
bien. Je n'ai rien à vous commander pour aujourd'hui;
mais ne manquez pas de revenir demain. »

Madame la Pluie, qui ne voyageait pas si vite,
n'arriva que l'après-midi à Londres.

« As-tu des ordres à me donner? dit-elle.

— Point d'ordres pour aujourd'hui, répondit Pierrot;
mais ne manquez pas de revenir demain. »

XV

Le duc Guillaume adorait sa femme, la princesse
Mathilde, qu'il avait laissée à Caen. Toutes les semaines
il lui envoyait un exprès; mais, comme huit jours s'étaient
écoulés avant le retour du courrier, il n'avait jamais de
nouvelles fraîches. Pierrot alla trouver ce grand prince,
et, se jetant à ses pieds:

« Monseigneur, lui dit-il, j'ai à mes ordres un courrier bien plus habile que les vôtres. Si vous voulez vous servir de moi, je vous ferai savoir jour par jour ce qui se passe à Caen dans votre palais. »

Le prince voulut bien essayer des services de Pierrot. Dès le lendemain, Monsieur le Vent accourut à la même heure que la veille. Pierrot l'expédia aussitôt à Caen, et au bout d'un moment, il sut tout ce qu'avait fait la duchesse dans la matinée. Il en porta le détail au duc Guillaume, qui fut bien étonné lorsque les lettres et les courriers vinrent confirmer plus tard ce qu'avait dit Pierrot. Le prince voulut attacher à sa personne un messager si habile et si prompt. Il lui donna un logement dans son château, et se servit de lui tous les jours, sans se douter des moyens que Pierrot employait. Les autres seigneurs eurent aussi recours à lui pour savoir ce que faisaient leurs femmes. Quelques-uns en apprirent plus long qu'ils n'auraient souhaité, et comme ils n'étaient pas d'aussi bons maris que le duc Guillaume, ils renoncèrent bientôt à ces messages rapides pour revenir à la poste ordinaire. Cependant Pierrot fit fortune à ce métier-là. Il amassa cent mille écus qu'il envoya à ses parents, en les priant d'acheter le premier château qui serait à vendre dans son pays, et il écrivit une lettre bien tendre à Marguerite, où il lui disait qu'il n'avait plus qu'un pas à faire pour devenir chevalier comme Jasmin.

Le duc Guillaume fut enfin couronné roi d'Angleterre, et il s'apprêtait à jouir paisiblement de ses
conquêtes lorsqu'on lui apprit que les Danois et les
Saxons envoyaient contre lui une flotte considérable. On
fit aussitôt de grands préparatifs de défense et on assem-
bla les troupes pour s'opposer à la descente des ennemis
en Angleterre. Pierrot alla trouver le roi.

« Sire, lui dit-il, ne dépensez pas votre argent, et ne
fatiguez pas vos soldats inutilement. Je vous délivrerai des
Saxons et des Danois avant que leur flotte soit en vue
des côtes, et sans que vous ayez besoin d'équiper un seul
vaisseau.

— Tu es donc un petit sorcier ? dit le prince en riant.

— Non, Sire, je suis un bon chrétien ; mais fiez-vous
à moi ; dans vingt-quatre heures vous n'aurez plus
d'ennemis.

— Eh bien ! j'attendrai vingt-quatre heures avant
de donner mes ordres et de faire mes préparatifs de
guerre. »

Le lendemain matin, de bon matin, Pierrot guetta
de loin Monsieur le Vent par sa fenêtre. Il le vit accourir
à tire-d'aile.

« Ne perdez pas de temps à vous reposer, lui dit-il ;
allez au-devant des Danois et des Saxons. Soufflez de
toutes vos forces sur leurs navires. Dispersez-les de tous
côtés sur la mer. Empêchez qu'ils n'abordent en Angleterre ; mais noyez le moins de monde que vous pourrez.

— Voilà au moins une commission agréable, dit Monsieur le Vent. Je vais m'en acquitter comme il faut. »

Là-dessus il partit comme une flèche. Il enfla ses joues, souleva des vagues hautes comme des montagnes, et en moins d'une heure il dispersa et anéantit la flotte des Danois et des Saxons. Un courrier en apporta la nouvelle à la cour le soir même. Le roi en fut si joyeux qu'il embrassa Pierrot, et il allait sans doute lui donner une magnifique récompense, lorsqu'un autre courrier tout couvert de poussière entra dans le cabinet du prince. Cet homme annonça que la province de Cornouailles s'était révoltée, et qu'une armée innombrable s'avançait pour surprendre la ville de Londres. Le roi fit sonner les trompettes ; tous les seigneurs prirent leurs armes et montèrent à cheval. On sortit de la ville et on se rangea en bataille dans une plaine, en face des ennemis. Les habitants du pays de Cornouailles étaient des gens féroces, qui poussaient des cris sauvages et voulaient tout égorger. Le grand Guillaume, quoique intrépide, avait de l'inquiétude. Au moment de livrer bataille, il aperçut auprès de lui un cavalier vêtu d'une armure noire, et dont la visière était baissée.

« Qui êtes-vous ? dit-il à ce cavalier, et pourquoi vous tenez-vous si près de moi ?

— Je suis un serviteur de Votre Majesté, répondit le cavalier noir. Je veille sur votre personne et je viens vous assurer la victoire.

— Et quels sont ces personnages bizarres que je vois derrière vous ? Quelle est cette grande figure enveloppée d'un manteau flottant ? Et cette femme qui pleure avec une écharpe couleur de l'arc-en-ciel ?

— L'un est mon écuyer et l'autre ma servante. C'est à eux que nous devrons tout à l'heure notre salut. »

Le roi donna le signal du combat. Les ennemis s'avancèrent en poussant des hurlements épouvantables. Alors le cavalier noir se tourna vers les deux figures qui le suivaient, et leur cria :

« Faites votre devoir ! »

A l'instant on vit ces deux étranges personnes s'élever dans les airs à une hauteur prodigieuse. Un vent terrible souffla dans le visage des ennemis, et une pluie battante les mouilla jusqu'aux os, sans que l'armée des Normands en fût incommodée. Le désordre se mit dans les rangs des révoltés. Au premier choc ils furent enfoncés et battus. Au milieu de la mêlée, le roi remarqua le cavalier noir, qui frappait sur les ennemis à grands coups d'épée, et qui se comportait en homme de courage. On tua dix mille des séditieux, et le reste prit la fuite. Le roi fit appeler le cavalier noir, et lui dit en présence de toute sa cour :

« Jeune inconnu, c'est à vous que je dois le succès de cette journée. Veuillez maintenant vous découvrir à moi, et quelle que soit la faveur que vous puissiez me demander pour un si grand service, je vous l'accorde d'avance. »

Alors le cavalier noir leva la visière de son casque, et l'on reconnut Pierrot.

« Sire, dit-il, je suis votre messager Pierrot; puisque vous êtes assez bon pour vouloir récompenser mes faibles

Je suis votre messager Pierrot.

services, donnez-moi des lettres de noblesse et faites-moi chevalier. »

Le roi donna l'accolade à Pierrot, et le créa chevalier. En rentrant au château il écrivit des lettres de noblesse, et Pierrot s'appela le chevalier de la Pierre.

« A présent, Sire, dit-il au roi, si Votre Majesté veut faire de moi le plus heureux des hommes, elle n'a qu'à demander à Monsieur le baron, dont je ne suis plus le vassal, de me donner en mariage sa fille Marguerite. Je suis assez riche pour prétendre à une aussi belle alliance. »

Guillaume le Conquérant demanda Marguerite à Monsieur le baron, et donna encore cent mille livres à Pierrot pour ses frais de noces. Le chevalier prit congé du roi, et retourna dans son pays, avec des écuyers et une suite digne de sa nouvelle fortune. La baronne lui accorda la main de Marguerite, et on célébra splendidement le mariage au château. Le chevalier de la Pierre se retira ensuite dans un domaine acheté par Jean-Pierre avec l'argent envoyé de Londres. Monsieur le Vent et Madame la Pluie voulurent faire leur présent de noces aux jeunes époux. Le chevalier reçut des mains de Monsieur le Vent un anneau constellé, par la vertu duquel Pierrot trouvait encore sa femme aussi belle au bout de vingt ans que le jour de son mariage; et Madame la Pluie mit au cou de Marguerite un collier enchanté qui lui fit voir son mari toujours jeune et aimable.

Après des cadeaux si précieux, on aurait eu mauvaise grâce à retenir prisonniers le Vent et la Pluie. On leur ouvrit les portes de la ferme et le couvercle de la citerne, et ils retournèrent, l'un sur la montagne du Midi, l'autre dans la grotte de l'Ouest. Cependant, ils avaient si bien pris l'habitude de passer et de repasser la Manche, qu'ils ont encore à présent un goût particulier pour l'Angleterre, quoique le roi Guillaume n'ait

Un collier enchanté qui lui fit voir son mari toujours jeune et aimable.

plus besoin de leurs services. De là vient qu'à Londres on porte des paletots de caoutchouc, et qu'un Anglais ne voyage pas sans prendre avec lui son parapluie.

Les mariés vécurent heureux; ils s'aimèrent beaucoup, et ne se querellèrent qu'une seule fois, parce qu'ils avaient oublié, ce jour-là, de porter l'anneau magique et le collier enchanté. Tous les autres jours, Marguerite fut de bonne humeur, et le chevalier resta amoureux de sa femme. Ils eurent une quantité d'enfants, et c'est de là que sort la grande et noble famille des Pierrot de la Pierre, si fameuse en Basse-Bretagne.

IMPRIMÉ EN SUISSE

Le présent ouvrage, cinquième de la série "romans" de la Guilde des Jeunes, a été achevé d'imprimer le vingt novembre mil neuf cent cinquante-huit sur les presses de l'Imprimerie Centrale Lausanne S. A. Reliure de la Maison Mayer & Soutter, à Lausanne.

Edition hors commerce réservée aux membres de la Guilde des Jeunes et de la Guilde du Livre.

Volume E 20